Rhys ac Emily Jones

I
ELERI AC EMYR

CAROLAU
A'U CEFNDIR

E. Wyn James

GWASG EFENGYLAIDD CYMRU

Carolau a'u Cefndir

Hawlfraint y testun:
© Gwasg Efengylaidd Cymru, 1989

Hawlfraint y dylunwaith:
© Lion Publishing plc, 1988

Argraffiad cyntaf 1989

ISBN 1 85049 067 8

Yn y casgliad hwn defnyddir y gair 'carol' mewn ystyr eang iawn er mwyn cynnwys mathau gwahanol o ganeuon ac emynau cysylltiedig â'r Nadolig. Ceir ambell eitem Nadoligaidd hefyd yn *Dechrau Canu*, sy'n gymar i'r gyfrol hon.

Seiliwyd y gyfrol hon ar gysyniad gan Christopher Idle. Cyhoeddwyd cyfrol Saesneg wreiddiol Christopher Idle dan y teitl *Christmas Carols and Their Stories* gan Lion Publishing plc, Rhydychen, Lloegr (hawlfraint © Lion Publishing plc, 1988). Cyhoeddwyd y gyfrol Gymraeg hon trwy gydweithrediad gyda Lion Publishing, gan ddefnyddio'r un lluniau â'r gyfrol Saesneg, ond gyda thestun Cymraeg gwreiddiol.

Cyhoeddwyd gan Wasg Efengylaidd Cymru
Bryntirion, Pen-y-bont ar Ogwr, Canol Morgannwg, CF31 4DX.

Argraffwyd a rhwymwyd yn Iwgoslafia.

Cydnabyddiaeth

Diolchiadau
Fe wêl y cyfarwydd imi bwyso'n drwm ar rychwant eang o ffynonellau printiedig wrth baratoi'r gyfrol fach hon — llawer gormod i ddechrau eu henwi, hyd yn oed, mewn cyhoeddiad poblogaidd fel hwn. Pwysais yn drwm hefyd ar ysgwyddau llawer o unigolion a llyfrgelloedd. Yn ogystal â'r awduron a'r perchnogion hawlfraint a restrir isod, hoffwn ddiolch yn arbennig i'r canlynol am amryw gymwynasau wrth imi baratoi'r llyfr hwn: Rhian Andrews, Terence P. Crosby, Richard M. Crowe, Gwyn Davies, Robert Davies, Meredydd Evans, Noel A. Gibbard, Hywel M. Griffiths, Rhidian Griffiths, R. Geraint Gruffydd, Robin Gwyndaf, Andrew Hawke, Christopher Idle, Dafydd a Rhiannon Ifans, J. Geraint Jones, Catrin Lewis, Richard H. Lewis, D. Roy Saer, Selwyn Williams, Denis Young, ac yn olaf, ond nid yn lleiaf, fy nghyd-weithwyr, Mair Jones ac Edmund T. Owen, a'm gwraig, Christine. — E.W.J.

Geiriau
Diolchwn i'r canlynol am ganiatâd i gynnwys y gweithiau hawlfraint canlynol: Rhian Andrews am ei haralleiriad o 'Mab a'n rhodded' (Madog ap Gwallter); Elwyn Evans am ei gyfieithiad 'Si lwli lw' ac, ar ran plant Wil Ifan, am 'Tua Bethlem dref' a'r cyfieithiad 'Grist bendigedig'; Noel A. Gibbard am ei gyfieithiad 'O'r nef rwy'n dyfod atoch chwi'; Gwasg Gomer am gyfieithiad Simon B. Jones, 'Ganol gaeaf noethlwm'; Gwasg yr Eglwys yng Nghymru am gyfieithiad David Lewis, 'Gynt ym Methlem, dinas Dafydd'; Enid Arwel Hughes, am garol John Hughes, 'Draw yn nhawelwch Bethlem dref'; M. Dilys Jones am gyfieithiad E. Cefni Jones, 'I orwedd mewn preseb'; D. Gwyn Jones am ei gyfieithiad 'Pan oedd bugeiliaid gyda'u praidd'; W. Rhys Nicholas am 'Mae'n wir'; Pwyllgor Cerdd Esgobaeth Bangor a Selyf Roberts am y cyfieithiad 'Mae llong yn dod dan hwyliau'; Undeb yr Annibynwyr Cymraeg am gyfieithiad Dafydd Owen, 'Dos, dywed ar y mynydd'; Stephen Nantlais Williams, ar ran teulu Nantlais, am 'Suai'r gwynt' a'r cyfieithiad 'Tawel yw'r nos'. Eiddo Gwasg Efengylaidd Cymru yw hawlfraint 'Mawrha yr Arglwydd' gan Edmund T. Owen a'i gyfieithiadau 'Yr eiddew a'r gelynnen' a 'Tra gwylio roedd bugeiliaid'.

Lluniau
Cafwyd y lluniau oddi wrth y ffotograffwyr a'r asiantiaid canlynol: Alistair Duncan, 37; Susan Griggs Agency, 41, 71; Sonia Halliday Photographs: Sonia Halliday, 11, 19, 25, 35, 45, 49, 51, 53, 57, 60, 63, 65, 92; David Townsend, 9, 55, 87; ZEFA (UK) Ltd., 17, 27, 32, 47, 72, 77, 79, 81, 91 a'r clawr. Atgynhyrchwyd y ffenestr liw ar dudalen 51 trwy ganiatâd caredig ficer Eglwys y Plwyf, Winchelsea, Sussex.

CYNNWYS

AWN I FETHLEM

Gair o fyd y ddawns yw 'carol' yn wreiddiol, heb unrhyw gyswllt penodol â'r Nadolig. 'Dawns gylch' oedd ei ystyr ar un adeg, ond wedyn aeth i olygu cân y dawnswyr hefyd. Llac-iwyd yr ystyr ymhellach nes ei ddefnyddio fel enw ar bob math ar ganu rhydd, ond yn arbennig cerddi yn gysylltiedig â gwyliau a thymhorau'r flwyddyn. Yn eu plith caed llawer a luniwyd ar gyfer gwyliau'r Nadolig, a chân lawen i ddathlu'r Nadolig yw ystyr 'carol' fel arfer erbyn heddiw.

Mae lle amlwg i'r Nadolig yng ngwaith y Ficer Prichard, gŵr a gysegrodd ei ddawn brydyddol i hyfforddi'r werin yng ngwirioneddau'r ffydd Gristnogol. Yn ei gerddi, mae'n an-nog y bobl i ymwrthod â'r oferedd a oedd yn gymaint rhan o wyliau Nadolig ei ddydd ac a arweiniodd, ym mlwyddyn marw'r Ficer, i'r senedd Biwritanaidd ddiddymu'r ŵyl.

Ond nid annog y bobl i dristwch a phruddglwyf a wna'r Ficer ond i lawenydd gwell, i dreulio'r ŵyl 'mewn nefol hyfrydwch a duwiol ddifyrrwch'. Ac wrth sôn am y Nadolig daw sioncrwydd a llonder i'w ganu, sŵn dawnsio a gorfol-eddu, sŵn dathlu pen-blwydd, fel yn ei gân hyfryd sy'n ein cymell i fynd i Fethlem. (Dylid egluro, efallai, mai 'preseb' yw ystyr 'craits' ym mhennill olaf y detholiad ohoni a gyhoeddir yma.)

A Mair yn agos at esgor, bu raid iddi hi a Joseff wynebu'r daith hir o Nasareth i Fethlehem ar orchymyn y brenin. Gadewch i ninnau, ar wahoddiad y Brenin Mawr, fynd at grud ei Fab mewn ffydd ac edifeirwch a diolchgarwch.

Awn i Fethlem bawb dan ganu,
Neidio, dawnsio a difyrru,
I gael gweld ein Prynwr c'redig,
Aned heddiw, ddydd Nadolig.

Yn lle aur, rhown lwyrgred ynddo,
Yn lle thus, rhown foliant iddo,
Yn lle myrr, rhown wir 'difeirwch,
Ac fe'u cymer drwy hyfrydwch.

Awn i Fethlem i gael gweled
Y rhyfeddod mwya' wnaethped,
Gwneuthur Duw yn ddyn naturiol
I gael marw dros ei bobol.

Awn i weld yr Hen Ddihenydd,
A wnaeth y nef a'r môr a'r mynydd,
Alffa oediog, Tad goleuni,
Yn ddyn bychan, newydd eni.

Awn i weled Duw y Gair,
Brenin nef, ar arffed Mair,
Wedi cymryd cnawd dyn arno,
Yn fab bach yn dechrau sugno.

Awn i Fethlem i gael gweled
Mair a Mab Duw ar ei harffed;
Mair yn dala rhwng ei dwylo
Y Mab sy'n cadw'r byd rhag cwympo.

Awn i weld concwerwr angau
Wedi'i rwymo mewn cadachau,
A'r Mab a rwyga deyrnas Satan
Yn y craits, heb allu cripian.

RHYS PRICHARD (1579?-1644)

MAWRHA YR ARGLWYDD

Mae'r nodyn o lawenydd yn amlwg iawn yn adroddiad Luc o hanes y Geni. Mae'r baban, Ioan Fedyddiwr, yn llamu o orfoledd yng nghroth ei fam, Elisabeth, pan ddaw'r Fair feichiog i'w chartref (1:44), a daw'r angel â 'newyddion da o lawenydd mawr' i'r bugeiliaid (2:10). Ac yn ogystal â chân orfoleddus Elisabeth a chân yr angylion, mae Luc yn cofnodi tair cân arall yng nghyd-destun geni Crist — caneuon Mair (1:46-55), Sachareias (1:68-79) a Simeon (2:29-32).

Mae Cân Mair yn frodwaith o adleisiau o'r Salmau ac o Gân Hanna (1 Samuel 2), heb sôn am rannau eraill o'r Hen Destament, ac mae'n arddangos merch wir dduwiol a anadlai awyr yr ysgrythurau. Nodweddir ei chân gan fawl gwresog a gwylaidd. Canmola Duw am ei drugaredd tuag at ei bobl, a rhyfedda iddo erioed ddewis merch dlawd a di-nod fel hithau i fod yn fam i'r Gwaredwr hir-ddisgwyliedig.

Mae ffydd Mair yn drawiadol iawn, yn enwedig o'i osod wrth ochr amheuaeth yr hen offeiriad duwiol Sachareias, tad Ioan Fedyddiwr (Luc 1:18,45). Nid nad oedd angen cadarnhau ei ffydd — dyna un rheswm y teithiodd tua 100 milltir i'r de ar frys i gartref ei pherthynas Elisabeth (Luc 1:36-40). Ac nid nad oedd weithiau yn camddeall ac yn amau (Luc 2:50; Marc 3:21,32-35). Ond daliodd ei ffydd trwy bob prawf (Luc 2:35; Ioan 19:25), a hyfryd ei gweld yng nghanol y cwmni Cristnogol cynnar (Actau 1:14), yn un o deulu ysbrydol yr Iesu, yn moli'r Mab a ddaeth i'w gwaredu (Mathew 1:21; Luc 1:31).

Y 'Magnificat' yw'r enw a roddir ar Gân Mair yn aml, am mai dyna air cynta'r gân yn y Lladin. Dyma fydryddiad ohoni a luniwyd yn arbennig ar gyfer y gyfrol hon.

Mawrha yr Arglwydd, f'enaid, cân
  A llawenha'n wastadol;
Fy Nuw, fy iachawdwriaeth rad,
  Fy Ngheidwad yn dragwyddol.

Edrych a wnaeth ar ddinod wedd
  Fy ngwaeledd, heb un dirmyg;
Holl genedlaethau'r byd yn grwn
  A'm geilw'n wynfydedig.

Cans sanct, galluog yw Duw'r ne',
  Efe a wnaeth im fawredd;
A'r rhai a'i hofnant o lwyr-fryd
  Yn hyfryd cânt drugaredd.

Darostwng wnaeth y beilchion rai,
  O'u heisteddfâu fe'u tynnodd;
Yr isel radd, â'i allu mawr,
  O lwch y llawr fe'u cododd.

Y tlawd newynog, Ef o'i fodd
  A'u llanwodd â bendithion;
A'r rhai goludog, hwy ni chânt,
  Ac ymaith ânt yn weigion.

Cofio'i addewid wna yr Iôn,
  Tra ffyddlon yw yr Arglwydd;
Trugarog yw Efe, a'n porth,
  Ein cymorth yn dragywydd.

EDMUND T. OWEN (g. 1935)

AR GYFER HEDDIW'R BORE

'Fy Iesu yw mêr y Beibl,' meddai Pantycelyn, ac mae hynny yr un mor wir am yr Hen Destament ag ydyw am y Newydd. Un thema bwysig gan Mathew yn ei adroddiad o hanes y Geni, a thrwy ei Efengyl yn wir, yw fod yr Iesu'n cyflawni proffwydoliaethau'r Hen Destament. Mae'r llythyr at yr Hebreaid, wedyn, yn datgan yn glir mai cysgod o Grist a'i waith iawnol oedd holl gyfundrefn aberthau'r Hen Destament, a bod ei aberth Ef ar y groes wedi rhoi pen ar yr angen am unrhyw aberth arall, unwaith ac am byth.

Dyna fan cychwyn carol blygain enwog Eos Iâl. Yr Iesu yw cyflawniad addewidion a gweledigaethau'r Hen Destament. Ef yw gwreiddyn Jesse (Eseia 11:10), y Cadarn o Bosra (Eseia 63:1), Deddfwr mynydd Sinai (Exodus 34), dŵr bywiol Eseciel (47:1-12), Meseia Daniel (9:25-6), bachgen doeth Eseia (9:6) a 'hen addewid Eden odiaeth' (Genesis 3:15). Yn Iesu Grist mae'r sylwedd wedi dod.

Cyhoeddwyd carol Eos Iâl gyntaf, yn 12 pennill, yn 1839, a deil yn ei phoblogrwydd. 'Oherwydd ei iawn' yw ystyr 'waith ei iawn' yn y pennill olaf ond un, a chyfeiriadau at Ganiad Solomon 2:12 a Salm 68:14 yw'r sôn am y 'durtur bêr' ac eira mynydd Salmon. Y ffurf Roeg a Lladin ar enw Mair yw 'Maria', ac fe'i defnyddir yn bur aml yn y carolau plygain Cymraeg.

Perygl mawr i iechyd y pregethwyr teithiol gynt oedd gwelyau llaith. Ond mae Crist wedi 'tynnu'r damp' o wely angau, yn ôl Eos Iâl yn y seithfed pennill yma. Am i'r Iesu orwedd yno ac atgyfodi, ni all y bedd niweidio'r credadun na'i gadw'n gaeth.

Ar gyfer heddiw'r bore,
　'N faban bach, yn faban bach,
Y ganwyd gwreiddyn Jesse,
　'N faban bach;
Y Cadarn ddaeth o Bosra,
Y Deddfwr gynt ar Seina,
Yr Iawn gaed ar Galfaria,
　'N faban bach, yn faban bach,
Yn sugno bron Mareia,
　'N faban bach.

Caed bywiol ddŵr Eseciel,
   Ar lin Mair, ar lin Mair,
A gwir Feseia Daniel,
   Ar lin Mair;
Caed bachgen doeth Eseia,
'R addewid roed i Adda,
Yr Alffa a'r Omega,
   Ar lin Mair, ar lin Mair,
Mewn côr ym Methlem Jwda,
   Ar lin Mair.

Gorffwyswch bellach, Lefiaid,
   Cafwyd iawn, cafwyd iawn,
Nid rhaid wrth anifeiliaid,
   Cafwyd iawn;
Diflannu a wnaeth y cysgod,
Mae'r sylwedd wedi dyfod,
Nid rhaid wrth ŵyn na buchod,
   Cafwyd iawn, cafwyd iawn,
Na theirw na thurturod,
   Cafwyd iawn.

Ystyriwn gariad Trindod,
   O'u gwir fodd, o'u gwir fodd,
Yn trefnu ffordd y cymod,
   O'u gwir fodd;
Y Tad yn ethol meichiau,
Y Mab yn fodlon diodde',
A'r Ysbryd Glân ei ddoniau,
   O'u gwir fodd, o'u gwir fodd,
Yn tywys Seion adre',
   O'u gwir fodd.

Diosgodd Crist ei goron,
   O'i wir fodd, o'i wir fodd,
Er mwyn coroni Seion,
   O'i wir fodd;
I blygu ei ben dihalog
O dan y goron ddreiniog,
I ddioddef dirmyg llidiog,
   O'i wir fodd, o'i wir fodd,
Er codi pen yr euog,
   O'i wir fodd.

O! dacw'r Oen mewn dalfa,
   Er ein mwyn, er ein mwyn,
Yn esgyn pen Calfaria,
   Er ein mwyn,
I ddioddef dwyfol loesion
Ar bren y groes rhwng lladron,
Y bicell fain a'r hoelion,
   Er ein mwyn, er ein mwyn,
A cholli gwaed ei galon,
   Er ein mwyn.

Gorweddodd yn y beddrod,
   Er ein mwyn, er ein mwyn,
I dynnu'r damp o'i waelod,
   Er ein mwyn;
Yn awr mae ar ei orsedd
Yn cynnig rhad drugaredd,
Maddeuant a thangnefedd,
   Er ein mwyn, er ein mwyn,
I'r adyn mwyaf ffiaidd,
   Er ein mwyn.

Cyfiawnder a fodlonwyd,
   Waith ei iawn, waith ei iawn,
A'r ddeddf a anrhydeddwyd,
   Waith ei iawn;
Mae uffern fawr yn crynu,
A'r durtur bêr yn canu,
A Duw a dyn yn gwenu,
   Waith ei iawn, waith ei iawn,
Mewn hedd ym mherson Iesu,
   Waith ei iawn.

Am hyn, bechadur, brysia,
   Fel yr wyt, fel yr wyt,
I 'mofyn am y noddfa,
   Fel yr wyt;
I ti'r agorwyd ffynnon
A ylch dy glwyfau duon
Fel eira gwyn yn Salmon,
   Fel yr wyt, fel yr wyt,
Gan hynny tyrd yn brydlon,
   Fel yr wyt.

DAFYDD HUGHES ('Eos Iâl'; *c.* 1794-1862)

14

WELE, CAWSOM Y MESEIA

Defnyddir y term 'hollgynhwysfawr' i ddisgrifio'r carolau plygain Cymraeg traddodiadol. Mae'n derm da, gan mai holl hanes yr iachawdwriaeth yng Nghrist yw cwmpas eu cân, ac nid y Geni'n unig. Felly hefyd, symud ymlaen yn gyflym o gael hyd i'r Meseia at ei waith achubol a wna Dafydd Jones, un o emynwyr mawr sir Gaerfyrddin, yn yr emyn gorfoleddus hwn.

Adeg geni Iesu Grist yr oedd rhai yn disgwyl yn eiddgar am ddyfodiad y Meseia, rhai megis y broffwydes Anna, a aeth i ddweud am y baban 'wrth y rhai oll oedd yn disgwyl ymwared yn Jerwsalem' (Luc 2:38). Ymhlith y cyfryw, yn ddiau, roedd yr offeiriad Sachareias a'i wraig Elisabeth, rhieni Ioan Fedyddiwr, yr un a oedd i baratoi'r ffordd ar gyfer gweinidogaeth yr Iesu. Rhai o ddisgyblion Ioan oedd disgyblion cynharaf yr Iesu, a chyfarchiad cyffrous rhai o'r disgyblion hyn wrth eu cyfeillion yw sail pennill cyntaf emyn Dafydd Jones (Ioan 1:41,45).

Cafodd Anna a Ioan Fedyddiwr a'r disgyblion hyd i'r Meseia. Cafodd Dafydd Jones o Gaeo hyd iddo yn ei ddydd ef, ac y mae geiriau Ioan Fedyddiwr yn atsain i lawr y canrifoedd atom ninnau hefyd: 'Wele Oen Duw!'

Wele, cawsom y Meseia,
   Cyfaill gwerthfawroca' 'rioed;
Darfu i Moses a'r proffwydi
   Ddweud amdano cyn ei ddod:
Iesu yw, gwir Fab Duw,
Ffrind a Phrynwr dynol-ryw.

Hwn yw'r Oen, ar ben Calfaria,
   Aeth i'r lladdfa yn ein lle;
Swm ein dyled fawr a dalodd
   Ac fe groesodd filiau'r ne';
Trwy ei waed, i ni caed
Bythol heddwch a rhyddhad.

Dyma Gyfaill haedda'i garu,
   A'i glodfori'n fwy nag un;
Prynu'n bywyd, talu'n dyled,
   A'n glanhau â'i waed ei hun:
Frodyr, dewch, llawenhewch,
Diolchwch iddo, byth na thewch!

DAFYDD JONES, CAEO (1711-77)

TAWEL YW'R NOS

Cyfansoddwyd y garol 'Stille Nacht' ar gyfer ei chanu ar noswyl
Nadolig 1818 ym mhentref bychan Oberndorf yn Awstria. Offeiriad
cynorthwyol yr eglwys, Joseph Mohr, oedd awdur y geiriau, a'r
organydd, Franz Grüber, a gyfansoddodd y dôn. Ond nid i gyfeiliant
yr organ y'i canwyd gyntaf ychwaith, am fod honno newydd dorri,
ond yn hytrach i gyfeiliant gitâr Joseph Mohr. Pan ddaeth y dyn i
drwsio'r organ, cafodd glywed y garol. Gwnaeth gymaint argraff arno
nes iddo ddechrau ei lledaenu trwy'r ardal, ac oddi yno aeth bellach i
bedwar ban byd.

Pentref ger Salzburg yw Oberndorf, ac mae ganddo gysylltiad di-
ddorol â Chymru, oherwydd yno yn 1909 y ganed yr ysgolhaig
Leopold Kohr. Ymgartrefodd yng Nghymru yn y chwedegau, yn
ddarlithydd yng Ngholeg Prifysgol Cymru, Aberystwyth, ac ym-
daflodd i'r frwydr dros annibyniaeth i Gymru ac adferiad ein hiaith.
Nid yw hynny'n syndod am mai ef yw un o'r dadleuwyr pennaf dros
werth ac effeithiolrwydd unedau bychain. 'Cân syml pentref' yw ei
ddisgrifiad ef o 'Stille Nacht', ac mae'n amlwg fod y ffaith mai cyn-
nyrch pentref bach di-nod yw un o garolau enwocaf y byd yn rhoi cryn
bleser iddo. Cafwyd sawl cyfieithiad o'r garol i'r Gymraeg. Dyma
rydd-gyfieithiad hyfryd Nantlais ohoni.

> Tawel yw'r nos; sanctaidd yw'r nos;
> Cysgu'n bêr mae Bethlem dlos;
> Mair a Joseff yn gwylio 'nghyd;
> Iesu'r baban bach yn ei grud
>   Gwsg ei nefolaidd hun.
>
> Tawel yw'r nos; sanctaidd yw'r nos;
> Beth yw'r gwawl sy'n yr wybren dlos?
> Gwêl y bugeiliaid engyl glân,
> Clywant eiriau y nefol gân:
>   'Ganwyd y Crist o'r nef.'
>
> Tawel yw'r nos; sanctaidd yw'r nos;
> Mwyn yw'r gwynt ar waun a rhos;
> Llif pob gras o wedd Mab Duw,
> Dydd ein hiechydwriaeth yw;
>   Moliant drwy'r nef a'r llawr.

JOSEPH MOHR (1792-1848)
efel. W. NANTLAIS WILLIAMS (1874-1959)

WELE'N GWAWRIO

Cyfeiriad at eiriau Jacob wrth ei fab Jwda sydd yn llinellau cyntaf y garol hon: 'Nid ymedy'r deyrnwialen o Jwda . . . hyd oni ddêl Seilo; ac ato ef y bydd cynulliad pobloedd' (Genesis 49:10). Fe'i cymerir fel addewid o ddyfodiad 'y Llew . . . o lwyth Jwda' (Datguddiad 5:5), yr Arglwydd Iesu Grist. Y doethion, wrth gwrs, yw'r 'dynion mwyn a moddion', a'u dyfodiad yn arwydd o'r ffaith mai 'Brenin yr hollfyd' sydd yn y crud ac nid 'Brenin yr Iddewon' yn unig.

John Edwards oedd yr enw dan y garol pan gyhoeddwyd hi mewn casgliad yn 1865. Mae'n bosibl mai John Edwards ('Meiriadog'; 1813-1906) oedd hwnnw, gŵr a dreuliodd flynyddoedd lawer yn Llanfair Caereinion yng nghanol gwlad y garol blygain, ond nid oes sicrwydd am hynny. Tybed a oes adlais yn yr ail bennill o bennill trawiadol Morgan Llwyd: 'Duw a'm carodd, Duw a'm cofiodd,/ Ceisiodd, cafodd, cadwodd, cododd./Haul fy mywyd drwy farwolaeth,/Ffynnon f'ysbryd, swm fy hiraeth.'

> Wele'n gwawrio ddydd i'w gofio,
>   Geni'r Seilo, gorau swydd;
> Wele ddynion mwyn a moddion
>   Ddônt â rhoddion iddo'n rhwydd.
> Hen addewid Eden odiaeth
>   Heddiw'n berffaith ddaeth i ben;
> Wele drefniad dwyfol gariad
>   'Flaen ein llygaid heb un llen.
>
> Duw a'n cofiodd, Duw a'n carodd,
>   Duw osododd Iesu'n Iawn;
> Duw, er syndod ddarfu ganfod
>   Trefn gollyngdod inni'n llawn.
> Duw ryfeddir, iddo cenir
>   Gan drigolion nef a llawr,
> Tra bydd Iesu, fu mewn gwaeledd,
>   'N eistedd ar yr orsedd fawr.
>
> Haleliwia! Haleliwia!
>   Aeth i'r lladdfa yn ein lle;
> Haleliwia!
>   Duw sy'n fodlon ynddo Fe.
> Sain 'Hosanna i Fab Dafydd',
>   Iesu beunydd fyddo'n ben;
> Am ei haeddiant, sy'n ogoniant,
>   Bydded moliant mwy. Amen.

JOHN EDWARDS

BACHGEN A ANED

Rhaid cynnwys rhywbeth gan ein Pêrganiedydd. Ond nid yw mor rhwydd â hynny, gan mai prin yw'r emynau gan Williams sydd yn benodol ar y Geni. Mae Calfaria yn cael llawer mwy o sylw na Bethlehem ganddo — ffaith sy'n wir hefyd, wrth gwrs, am awduron yr Efengylau.

Dichon mai un rheswm paham nad oes mwy o emynau ar y Nadolig yng ngwaith Williams yw iddo etifeddu o'i gyndadau ymneilltuol a phiwritanaidd rywfaint o'u hanesmwythyd ynghylch gwyliau eglwysig arbennig. Iddynt hwy, yr oedd pob Sul yn Sul y Nadolig a Sul y Pasg.

Nid bod Williams yn ddibris o Fethlehem ychwaith, wrth reswm. Collai angau Calfaria bob gwerth ac arwyddocâd iddo oni bai am y ffaith mai'r Person dwyfol a anwyd yn ddyn ym Methlehem oedd yno ar y groes. Dyma rai penillion o emyn am eni Crist a gyhoeddodd Williams yn ei gasgliad cyntaf o emynau, ac sydd â'i fan cychwyn yn Eseia 9:6.

> Bachgen a aned; Mab rowd in';
>   Ei enw sy'n Rhyfeddol;
> Ar ysgwydd hwn llywodraeth gaed —
>   Duw cadarn, Tad tragwyddol.
>
> Chwilio ei Berson hardd, a'i waith,
>   Sy'n orchwyl maith anfeidrol;
> 'Fe elwir yma, a thrwy'r ne',
>   Ei enw E'n Rhyfeddol.
>
> Dehonglwch hyn, ddysgedig rai;
>   Rhyfeddu mae'r cenhedloedd;
> P'odd gall'sai Mair ei gynnwys Ef
>   Na chynnwys nef y nefoedd?
>
> Yr Hen Ddihenydd yn ddyn gwan,
>   Mewn preseb dan ei rwymau;
> Y Gair tragwyddol ar lin Mair,
>   Heb fedru gair o'i enau!
>
> Mae holl ddoethineb Duw ynghyd
>   Yn cwrddyd yn ei Berson;
> Nid rhyfedd bod myrddiynau'r nef
>   'N ei foli Ef yn gyson.

WILLIAM WILLIAMS, PANTYCELYN (1717-91)

MAB A'N RHODDED

Cyfnod o groeso arbennig i'r beirdd yn llysoedd tywysogion Cymru yn yr Oesoedd Canol oedd gwyliau'r Nadolig. Canu mawl oedd prif gynnyrch Beirdd y Tywysogion — i'r tywysog yn bennaf, ond hefyd i'r Brenin Mawr ei hun — a hynny mewn iaith hynafol ac arddull gywrain a wnâi eu cerddi'n anodd i'w deall. Ond o'r cerddi sydd wedi goroesi o'r cyfnod hwnnw, cadwyd un sy'n drawiadol o wahanol i'r lleill — cerdd, meddai D. Myrddin Lloyd, sydd 'ar ei phen ei hun yn ei symlrwydd a'i melyster sain, ei thynerwch, a'i thlysni ffres'.

Cân i'r Nadolig ydyw — 'efallai'r carol Nadolig hynaf sy gennym yn Gymraeg,' meddai Henry Lewis. Fe'i cyfansoddwyd adeg teyrnasiad Llewelyn y Llyw Olaf, neu ychydig wedyn, gan y Brawd Madog ap Gwallter. Un o Lanfihangel Glyn Myfyr yn sir Ddinbych ydoedd yn ôl pob tebyg, a dadleuodd Myrddin Lloyd ei bod yn 'dra thebyg ei fod yn perthyn i Urdd Sant Ffransis' (y Brodyr Llwydion), am fod yn ei waith 'holl awyrgylch a ffresni'r meddwl Ffransiscaidd cynnar'.

Adeg o ddadeni dysg a deffro ysbrydol yn Ewrop oedd cyfnod Beirdd y Tywysogion, a ffigur allweddol yn y cyfnod oedd Ffransis o Assisi (1182-1226). Un o gyfraniadau pwysig Ffransis a'i ddilynwyr oedd hyrwyddo canu emynau a chaneuon Cristnogol gan y bobl yn iaith y bobl. Ffransis a'i ddilynwyr, hefyd, a boblogeiddiodd yr arfer o ddefnyddio modelau o'r preseb fel rhan o ddathliadau'r Nadolig. Rhan o'i ddiben dros wneud hynny oedd er mwyn dod â realiti tlodi daearol y Duw-ddyn yn fyw o flaen llygaid yr addolwyr. Byddai Ffransis yn defnyddio anifeiliaid byw fel rhan o olygfa'r preseb, ac mae'r ffaith fod yr asyn a'r ych yn ymddangos mor gyson mewn lluniau a llên yn ymwneud â'r Nadolig o'r Oesoedd Canol ymlaen, i'w briodoli yn rhannol i ddylanwad Ffransis a'i hoffter enwog o greaduriaid o bob math. Ac yng ngherdd Madog ap Gwallter fe geir yr ych a'r asyn yn ymddangos yng nghwmni'r Brenin nad oedd iddo ond carpiau.

Cerdd ar un o fesurau cynharaf ein barddoniaeth, y rhupunt, yw cerdd Madog, a chyda'r holl odli a chyseinedd sy'n rhedeg trwyddi, mae'n gerdd hyfryd o bersain. Ond er ei chywreinrwydd mydryddol, llwydda'r bardd i adrodd hanes y Geni yn syml a gafaelgar o gam i gam. Mae'n cadw'n bur glòs at yr hanes beiblaidd, heb grwydro i fyd y chwedlau niferus a dyfodd o gwmpas y Geni. Mae nifer o adleisiau uniongyrchol

o'r Ysgrythur yn y gerdd, megis y llinell agoriadol (Eseia 9:6)
a'r cyfeiriad at 'Emanuel, mêl feddyliau' (Eseia 7:14-15).

Ac eithrio un cwpled o'r diweddglo, hanner cynta'r gerdd a
atgynhyrchir yma, lle y mae Madog yn cyhoeddi'r Geni, yn
darlunio'r olygfa yn y stabl ac yn sôn am y bugeiliaid. Yn y
gweddill adroddir hanes y doethion a hanes Herod yn lladd
plant Bethlehem.

Mab a'n rhodded, Mab mad aned dan ei freiniau,
Mab gogoned, Mab i'n gwared, y Mab gorau,
Mab fam forwyn, grefydd addfwyn, aeddfed eiriau,
Heb gnawdol dad, hwn yw'r Mab rhad, rhoddiad rhadau.

Doeth ystyriwn a rhyfeddwn ryfeddodau!
Dim rhyfeddach ni bydd bellach, ni bwyll enau:
Duw a'n dyfu, dyn yn crëu creaduriau,
Yn Dduw, yn ddyn, a'r Duw yn ddyn, yn un ddoniau.

Cawr mawr bychan, cryf cadarn gwan, gwynion ruddiau,
Cyfoethog tlawd, a'n Tad a'n Brawd, awdur brodiau:
Iesu yw hwn a erbyniwn yn ben rhiau,
Uchel isel, Emanüel, mêl feddyliau.

Ych ac asen, Arglwydd presen, preseb piau,
A sopen wair yn lle cadair i'n llyw cadau;
Pali ni fyn, nid urael gwyn ei ginhynnau,
Yn lle syndal ynghylch ei wâl gwelid carpiau.

Eisoes mai Ef — dangos o nef a wnaeth gwyrthiau —
Oedd Fab Duw Rhên, o'r hwn y cên llên a llyfrau
A dewinion synnwyr-ddoethion, ddethol gampau,
A darogan proffwydi glân, glaer barablau.

I leferydd wrth fugelydd, gwylwyr ffaldau,
Engyl yd fydd, a nos fel dydd dyfu'n olau.
Yna y traethwyd ac y coeliwyd coelfain chwedlau:
Geni Dofydd yng nghaer Ddafydd yn ddiamau.

Sôn angylion a glyw dynion â diolchau,
Llawenydd mawr a llawer gawr o ganeuau:
'I Dduw *gloria, pax in terra* i'n terfynau,
Heddwch i'r byd, iechyd i gyd gwedi angau' . . .

Nos Nadolig; nos annhebyg i ddrygnosau,
Nos lawenydd i lu bedydd: byddwn ninnau!

MADOG AP GWALLTER (*fl. c.* 1250-1300)

Un gerdd hir ddidoriad ydyw yn y gwreiddiol, ond am ei bod yn ymffurfio'n unedau o bedair llinell drwyddi, fe'i rhannwyd yn benillion yma er hwyluso'r darllen. Mae'n gerdd syndod o ddealladwy o hyd, ac ystyried ei chyfansoddi tua 700 mlynedd yn ôl. Ond er hwyluso ei deall, dyma aralleiriad gan Rhian Andrews, sy'n darlithio yn yr Adran Geltaidd yn Queen's University, Belfast:

Mab a roddwyd i ni, Mab a aned yn ffodus, yn freintiedig,
Mab gogoniant, Mab i'n gwaredu, y Mab gorau,
Mab i fam forwyn, addfwyn ei chrefydd, aeddfed ei geiriau,
Heb dad o gnawd, hwn yw'r Mab grasol, rhoddwr bendithion.

Ystyriwn yn ddoeth a rhyfeddwn at ryfeddodau!
Ni bydd bellach, ac ni thraetha genau, ddim rhyfeddach:
Duw a ddaeth atom, dyn yn creu creaduriaid,
Yn Dduw, yn ddyn, a'r Duw yn ddyn, o'r un doniau.

Cawr mawr bychan, Mab cryf cadarn gwan, gwyn ei ruddiau,
Mab cyfoethog tlawd, ein Tad a'n Brawd, awdur barnedigaethau:
Iesu yw hwn a dderbyniwn yn ben brenin,
Mab dyrchafedig gostyngedig, Immanuel, meddyliau mêl.

Ych ac asyn ger Arglwydd y byd — preseb sydd iddo,
A sypyn gwair yn lle crud/gorsedd i'n harweinydd lluoedd;
Ni fyn sidan addurnedig, nid lliain gwyn yw ei gadachau,
Yn lle lliain main o gwmpas ei wâl gwelid carpiau.

Er hynny dangosodd y nef, a wnaeth gwyrthiau, mai Ef
Oedd Mab Duw Iôr, yr hwn y traetha llên a llyfrau amdano,
A gweledyddion dysgedig doeth, arbennig eu rhagoriaethau,
A darogan proffwydi sanctaidd, eglur eu geiriau.

Drwy eiriau angylion wrth fugeiliaid, gwylwyr preiddiau,
Y bydd datgelu, a daeth y nos yn olau fel dydd;
Yna y traethwyd ac y coeliwyd newyddion o lawenydd:
Geni Arglwydd yn ninas Dafydd yn ddiamau.

Clyw dynion sŵn angylion â diolchiadau,
Llawenydd mawr a llawer bloedd o ganeuon:
'Gogoniant i Dduw, ar y ddaear tangnefedd yn ein tiriogaeth,
Heddwch i'r byd, iechydwriaeth yn llwyr wedi angau' . . .

Nos Nadolig: nos annhebyg i nosweithiau drwg,
Nos lawenydd i lu gwledydd Cred: byddwn ninnau lawen!

aralleiriad RHIAN ANDREWS (g. 1951)

CLYWCH LU'R NEF

Rhan bwysig o swyddogaeth yr angylion yw gweithredu fel negeseuwyr dros Dduw, a buont yn amlwg iawn fel negeseuwyr yn hanes y Geni — wrth Sachareias a Mair, wrth Joseff ac wrth y bugeiliaid. 'Hark! the herald angels sing' yw un o emynau mwyaf poblogaidd y Saesneg, gan un o emynwyr gorau'r iaith honno. Ond prin y byddai'r emyn wedi dod mor boblogaidd pe na bai'r pregethwr mawr George Whitefield wedi newid ei linell agoriadol. 'Hark, how all the welkin [= wybren] rings' oedd y llinell pan gyhoeddwyd ef gyntaf yn 1739.

Tyfu o gam i gam a wnaeth y cyfieithiad Cymraeg mwyaf adnabyddus o'r emyn. Cyhoeddodd Pedr Fardd ei gyfieithiad o'r pennill cyntaf yn ei *Crynoad o Hymnau* (1830). Erbyn casgliad emynau Tanymarian a J.D. Jones yn 1868 ychwanegwyd ail bennill, ac ymddangosodd trydydd pennill yng nghasgliad Elis Wyn o Wyrfai, *Hymnau yr Eglwys* (1886). Elis Wyn hefyd yw awdur y garol adnabyddus 'Yn nhawel wlad Jwdea dlos', a luniwyd ganddo tua 1870 pan oedd yn rheithor Llanfihangel Glyn Myfyr, hen gynefin Madog ap Gwallter, ein 'carolwr' cyntaf, chwe chanrif ynghynt.

> Clywch lu'r nef yn seinio'n un,
> Henffych eni Ceidwad dyn!
> Heddwch sydd rhwng nef a llawr,
> Duw a dyn sy'n un yn awr.
> Dewch, bob cenedl is y rhod,
> Unwch â'r angylaidd glod;
> Bloeddiwch oll â llawen drem,
> Ganwyd Crist ym Methlehem!
> *Clywch lu'r nef yn seinio'n un,*
> *Henffych eni Ceidwad dyn!*

Crist, Tad tragwyddoldeb yw,
A disgleirdeb wyneb Duw:
Cadarn Iôr a ddaeth ei hun,
Gwnaeth ei babell gyda dyn!
Wele Dduwdod yn y cnawd,
Dwyfol Fab i ddyn yn Frawd;
Duw yn ddyn! fy enaid gwêl
Iesu, ein Immanuel!

Henffych! T'wysog heddwch yw;
Henffych! Haul cyfiawnder gwiw:
Bywyd ddwg, a golau ddydd,
Iechyd yn ei esgyll sydd.
Rhoes i lawr ogoniant nef;
Fel na threngom, ganwyd Ef;
Ganwyd Ef, O! ryfedd drefn!
Fel y genid ni drachefn.

CHARLES WESLEY (1707-88), *n.*
cyf. p.1: PETER JONES ('Pedr Fardd'; 1775-1845);
p.2: ANHYSBYS; p.3: ELLIS ROBERTS ('Elis Wyn o Wyrfai'; 1827-95)

I ORWEDD MEWN PRESEB

O America y daeth Santa Clôs atom yn ei wisg bresennol, rywbryd yn ystod y ganrif ddiwethaf. Mae rhoi anrhegion ar ganol gaeaf yn arfer hynafol iawn, yn ymestyn yn ôl i'r cyfnod cyn-Gristnogol; ond mae union ddyddiad rhoi anrhegion wedi amrywio o wlad i wlad ac o oes i oes.

Dyddiad a gysylltir â rhoi anrhegion mewn amryw o wledydd yw 6 Rhagfyr, sef dydd gŵyl Sant Nicholas. Arweinydd Cristnogol o Asia Leiaf yn y 4edd ganrif oedd Nicholas. Daeth yn sant poblogaidd iawn yn yr Oesoedd Canol. Ef yw nawddsant Rwsia, ac fe'i mabwysiadwyd hefyd fel nawddsant y plant. Dyn cyfoethog a hoffai roi yn hael ac yn ddienw oedd Nicholas, yn ôl y sôn, a daeth yn arferiad rhoi anrhegion ar ddydd ei ŵyl.

Aeth ymfudwyr o'r Iseldiroedd â Sant Nicholas — neu 'Sinter Klaas', fel y galwent ef ar lafar — i'r Unol Daleithiau gyda nhw. Yno fe'i taflwyd i'r pair, gyda phinsiad go dda o chwedloniaeth o wledydd Llychlyn a Lloegr, a daeth allan fel y dyn crwn bochgoch, gyda'r farf wen laes, y ceirw a'r sled, sy'n ymweld â ni bellach ar noswyl Nadolig.

Un hanesyn a adroddir am Sant Nicholas yw iddo ddringo ar ben to tŷ merch anghenus un tro, a thaflu llond cod o aur i lawr y simnai. Glaniodd y god mewn hosan a oedd yn sychu wrth y tân, a dyna, wrth gwrs, darddiad yr arfer o osod sanau i hongian ar noswyl Nadolig. A phwysleisio'r cysylltiad â'r corn mwg a wna'r enw Cymraeg a roddwyd ar Santa Clôs yn gymharol ddiweddar, sef Siôn Corn — enw a aeth ar led yn sgîl cân J. Glyn Davies, 'Pwy sy'n dŵad dros y bryn.'

O America hefyd y daeth y garol Saesneg enwog 'Away in a manger' yn wreiddiol. Fe'i priodolir i Martin Luther yn aml mewn llyfrau emynau, ond nid oes sail i hynny. Ymddangosodd y ddau bennill cyntaf yn ddienw mewn llyfr i blant a gyhoeddwyd gan Eglwys Lutheraidd Efengylaidd Gogledd America yn 1885. Mae'n bosibl iddynt gael eu llunio adeg 400 mlwyddiant geni Luther yn 1883, efallai dan ddylanwad carol enwog Luther, *Vom Himmel hoch*. Ychwanegwyd y trydydd pennill yn 1892, a hwnnw hefyd yn ddienw.

Cafwyd sawl cyfieithiad o'r garol i'r Gymraeg. Rhyddgyfieithiad un o olygyddion *Llawlyfr Moliant Newydd* y Bedyddwyr, yw'r fersiwn a geir yma. Gweddi plentyn yw'r

garol, sy'n tynnu darlun hyfryd o Frenin yr anifeiliaid yn
gorwedd mewn preseb a Goleuni'r byd yn cael ei oleuo gan ei
sêr ei hun.

> I orwedd mewn preseb rhoed Crëwr y byd,
> Nid oedd ar ei gyfer na gwely na chrud;
> Y sêr oedd yn syllu ar dlws faban Mair
> Yn cysgu yn dawel ar wely o wair.
>
> A'r gwartheg yn brefu, y baban ddeffroes;
> Nid ofnodd, cans gwyddai na phrofai un loes.
> Rwyf, Iesu, 'n dy garu, O! edrych i lawr,
> A saf wrth fy ngwely nes dyfod y wawr.
>
> Tyrd, Iesu, i'm hymyl, ac aros o hyd
> I'm caru a'm gwylio tra fwyf yn y byd;
> Bendithia blant bychain pob gwlad a phob iaith,
> A dwg ni i'th gwmni ar derfyn ein taith.

ANHYSBYS
efel. E. CEFNI JONES (1871-1972)

GRIST BENDIGEDIG

Perthynas agos i'r Gymraeg yw Gaeleg yr Alban, ond bu i wragedd le amlycach o dipyn yn ei bywyd llenyddol nag sy'n wir yn achos y Gymraeg. Gwraig dduwiol iawn a dreuliodd ei holl fywyd ar Ynys Mull ger arfordir gorllewinol yr Alban oedd Mary MacDonald. Deuai o deulu o feirdd Gaeleg dawnus. Cyfansoddodd nifer o ganeuon ac emynau cofiadwy ei hun, ac mae sôn amdani'n eu canu wrth y dröell.

Un a wnaeth lawer i hyrwyddo'r diwylliant Gaeleg oedd Lachlan Macbean (1853-1931), newyddiadurwr a urddwyd yng Ngorsedd y Beirdd yn Eisteddfod Genedlaethol y Barri yn 1920. Yn 1888 cyhoeddodd Macbean 'Child in the manger', sef ei gyfieithiad Saesneg o rai o benillion emyn Gaeleg gan Mary MacDonald. Cyplyswyd yr emyn ag alaw Aelaidd a alwyd yn *Bunessan* am i Mary MacDonald gael ei geni yn agos i'r lle hwnnw.

Cyhoeddodd David Evans (1874-1948), athro cerdd Coleg y Brifysgol yng Nghaerdydd a chyfaill i Wil Ifan, drefniant o'r alaw yn y casgliad Presbyteraidd, *The Church Hymnary: Revised Edition* (1927), ac ymhen pum mlynedd ymddangosodd efelychiad Wil Ifan o'r emyn mewn cyfrol ddwyieithog o ganeuon y bu David Evans yn un o'i olygyddion.

Grist bendigedig,
Faban y forwyn;
Grist gwrthodedig,
Arglwydd byd;
Baich ein camweddau
Ddug yr un bychan,
Llwyth ein troseddau
Arno i gyd.

Grist bendigedig
Fab iachawdwriaeth,
Ddoe'n ostyngedig
Yma'n byw;
Heddiw yn eiriol,
Yn y gogoniant,
Dros edifeiriol
Gyda Duw.

Grist bendigedig,
Ddoe ar y ddaear,
Heddiw'n garedig
Frenin nef;
Dwyfol drigfannau
Sydd yn ein disgwyl;
Tynion fo'n tannau
Iddo Ef.

MARY MACDONALD (1789-1872)
efel. WILLIAM EVANS ('Wil Ifan'; 1883-1968)

WEL DYMA'R BORAU GORAU I GYD

O'r Lladin *pulli cantus*, yn golygu 'caniad y ceiliog', y daw'r gair 'plygain' (neu 'pylgaint' yn wreiddiol). Daeth yn enw ar wasanaeth a gynhelid yn eglwys y plwyf rywbryd rhwng tri a chwech o'r gloch ar fore'r Nadolig — gwasanaeth poblogaidd iawn mewn llawer rhan o Gymru am rai canrifoedd wedi'r Diwygiad Protestannaidd. Mae'n bosibl mai datblygu o offeren ganol nos Nadolig y cyfnod Pabyddol a wnaeth gwasanaeth y plygain; ond gyda'r Diwygiad Protestannaidd, a'i bwyslais ar offeiriadaeth yr holl gredinwyr, daeth canu cynulleidfaol yn rhan arferol o'r gwasanaethau eglwysig, ac yn achos y plygain, rhoddwyd lle amlwg i ganu carolau.

Ni fu fawr o lewyrch ar y garol yn Lloegr rhwng cyfnod y Piwritaniaid ac Oes Fictoria, na fawr sôn am wasanaethau carolau yn yr eglwysi. Ond yng ngogledd Cymru yn yr un cyfnod yn union, bu bri eithriadol ar gyfansoddi carolau plygain. Cyfansoddwyd cannoedd lawer ohonynt wrth i feirdd gwlad, a chlochyddion a phersoniaid, fwrw ati'n gyson bob blwyddyn i lunio carolau newydd ar gyfer y plygain.

Cadarnle'r garol blygain draddodiadol yw'r ardaloedd hynny yn siroedd Trefaldwyn, Meirionnydd, Dinbych ac Amwythig sy'n gorwedd mewn cylch o tua 20 milltir o gwmpas tref Llanfyllin. Ffactor allweddol yn natblygiad y garol blygain bu cyfieithu'r Beibl i'r Gymraeg, ac o fewn y cylch hwn, yn Llanrhaeadr-ym-Mochnant, yr oedd William Morgan yn byw pan gyhoeddwyd ei gyfieithiad yn 1588. Yn ôl un llawysgrif, Wmffre Dafydd ab Ifan, clochydd Llanbrynmair (a fu farw yn 1646), 'a wnaeth y Carol Plygain cyntaf erioed'; ac o hynny hyd heddiw cododd llu o garolwyr yn y cylch. Edwino a marw fu hanes y plygain dros y rhan fwyaf o'r wlad yn ystod y ganrif ddiwethaf. Ond mae'n cael ei gynnal a'i anwylo yn ei gadarnleoedd yn nyffrynnoedd Banw, Efyrnwy, Tanad a Dyfi o hyd, ac eithrio bod y gwasanaeth wedi'i symud bellach o'r bore bach i'r hwyr.

Pregethau ar gân oedd yr hen garolau plygain. Er eu llunio i'w canu ar ddydd Nadolig, cymharol ychydig o sylw a gaiff hanes y Geni ynddynt. Olrhain hanes yr iachawdwriaeth yng Nghrist yw eu prif thema, gan ddechrau gyda Chwymp Adda a diweddu gydag anogaethau i ffydd, edifeirwch a gweithredoedd da. Maent yn gerddi maith. Maent yn gerddi cywrain hefyd, yn gyfuniad o ganu caeth a rhydd, gydag

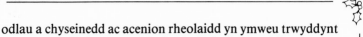

odlau a chyseinedd ac acenion rheolaidd yn ymweu trwyddynt ac yn asio'n llyfn â'r gerddoriaeth. Fe'u lluniwyd i'w canu ar geinciau baledol poblogaidd y dydd, nifer ohonynt o Loegr, a'r rheini'n aml yn hir a chymhleth eu penillion.

Yn ystod y ganrif ddiwethaf aeth y garol blygain yn symlach ei mesur, ei halaw a'i harddull; aeth yn fwy telynegol ac yn debycach i'r emyn. Perthyn yn nes at yr hen draddodiad y mae Dafydd Ddu Eryri o ran ei arddull. Ef yw un o'r mwyaf persain o'r hen garolwyr, ac y mae mynd hyd heddiw ar y garol y cyhoeddir pump o'i naw pennill yma.

Perthyn i ddiwedd cyfnod y garol blygain draddodiadol y mae Dafydd Ddu, ac y mae dylanwad Methodistiaeth yn amlwg ar ei waith ef a'i gyfoeswyr. Mae pwyslais trwm ganddo ar brofiad personol ac ar adnabod Crist. Ni wnâi 'caniad plygeiniol â'i naws yn hanesiol' y tro iddo o gwbl.

> Wel dyma'r borau gorau i gyd
>   Y rhoed i'r byd wybodaeth
> O eni'r gwaraidd Iesu gwyn
>   I'n dwyn o'r syn gamsyniaeth.
> Fe ddaeth ein Brenin mawr a'n Brawd
>   Dan wisg o gnawd genedig;
> Rhyfeddol gweled Mab Duw Nêr
>   Ar fronnau pêr forwynig.
> Rhyfeddod na dderfydd yw hon yn dragywydd,
> O rhoed y Dihenydd i bob dawn adenydd,
>   Llawenydd a gwenydd i ganu.
> Nid caniad plygeiniol â'i naws yn hanesiol
> I'r enaid crediniol sydd gynnes ddigonol,
>   Ond dwyfol ddewisol wedd Iesu.
>
> Llawn o bob rhyw aflan wŷn
>   Yw calon dyn cildynnus;
> Tra bo heb 'nabod Crist yn rhan
>   Ei wraidd sydd anwireddus;
> Nid oes dan nefoedd Duw ein Iôr
>   Greadur mor llygredig;
> Heb feddu grym neu ddim sy dda,
>   Ffôl ydyw a ffaeledig.
> Euogrwydd am bechod a flina'r gydwybod
> Nes caffael adnabod y newydd gyfamod
>   A gadd ei iawn osod yn Iesu.
> Y galon ddrylliedig a dawdd mewn modd diddig
> Pan wêl yr Oen unig ar groes yn hoeliedig
>   Dan ddirmyg rhwygedig yn gwaedu.

Agorwyd ffordd i'r nefol wlad,
  Drwy'r Meddyg rhad, caredig;
Hwn ydyw'r Gŵr sy'n maddau bai —
  Iachawdwr rhai sychedig.
Y sawl sy'n byw drwy Dduw a'i ddawn
  Wrth reol iawn athrawiaeth,
O fewn i hwn mae ysbryd briw
  A delw Duw'n dystiolaeth.
Mae heddwch cydwybod drwy waed y cyfamod,
A thân o'r nef uchod yn golau'n y gwaelod,
  Fel nod wedi'i osod i'w d'wyso.
Newidir yn fuan y meddwl brwnt aflan;
Mae'r tyniad a'r amcan at fuchedd sancteiddlan,
  Croes-anian i hunan yw honno.

Lle na ddatguddiodd golau'r wawr
  Diriondeb mawr y Drindod,
Nid oes yn wir ond calon iach
  A galar bach am bechod.
Trwy rinwedd ffydd pob cynnydd ceir —
  Mae Duw a'i Air yn dirion;
Fe gadarnha'r dymuniad gwan;
  Fe saif ar ran yr union.
Mab Duw bendigedig yw'r un anfonedig;
I'r enaid lluddiedig rhydd fanna cuddiedig,
  A gloyw-win puredig ysbrydol.
Awelon nef olau, newidiant y nwydau,
Gan buro'r meddyliau a chodi'r serchiadau
  O'r byd a'i wageddau'n dragwyddol.

Canfydded pob rhyw enaid byw
  Mor rymus yw'r Mesias
I wrthladd amcan Satan sur,
  A darnio mur ei deyrnas.
Hyfrydol fraint yr enaid trist,
  Cael prawf o Grist fel Priod;
A hyn i berchen cywir ffydd
  Y sydd, a fydd, ryfeddod.
Mae ffrydiau o lawenydd yng Nghaersalem newydd,
Preswylfa lân lonydd i fyw yn dragywydd,
  Lle na ddaw'r Dialydd na'i deulu.
I'n Prynwr sancteiddiol sy trosom yn eiriol,
Am nodded rhinweddol a doniau i ryw dynol,
  Caniadau tragwyddol sy'n gweddu.

DAVID THOMAS ('Dafydd Ddu Eryri'; 1759-1822)

WELE'N WIR DDIRGELWCH GWIWLAN

Un o arweinwyr mawr y Methodistiaid, ac un a gydweithiai'n agos iawn â Thomas Charles o'r Bala, oedd Thomas Jones, Dinbych. Yn yr emyn bach hyfryd hwn, rhyfedda Thomas Jones at baradocs yr Ymgnawdoliad — rhyfeddu, ys dywedodd C.S. Lewis yn un o'i nofelau i blant, fod stabl ar ein daear ni un tro wedi cynnwys rhywbeth a oedd yn fwy na'r byd mawr crwn. Rhyfedda hefyd at gariad mawr Crist yn dod i 'wlad y nychdod' ac i'r bedd er mwyn ein bath ni.

Yn ei nofel enwog i blant, *The Lion, the Witch and the Wardrobe* (a addaswyd mor ddeheuig i'r Gymraeg gan Edmund T. Owen dan y teitl *Y Llew a'r Wrach*), mae C.S. Lewis yn darlunio gwlad o nychdod mawr. Stori ydyw am bedwar o blant yn darganfod ffordd, trwy gefn hen wardrob mawr, i wlad hud sy'n llawn o greaduriaid rhyfedd ac o anifeiliaid sy'n gallu siarad. Gwlad ydyw a reolir gan Wrach ofnadwy, sy'n peri ei bod hi'n aeaf tragwyddol yno, ond byth

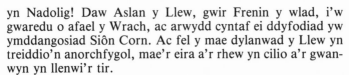

yn Nadolig! Daw Aslan y Llew, gwir Frenin y wlad, i'w gwaredu o afael y Wrach, ac arwydd cyntaf ei ddyfodiad yw ymddangosiad Siôn Corn. Ac fel y mae dylanwad y Llew yn treiddio'n anorchfygol, mae'r eira a'r rhew yn cilio a'r gwanwyn yn llenwi'r tir.

Mae haenau o wirionedd ysbrydol yn gorwedd o dan yr wyneb yn nofelau C.S. Lewis. Mae Aslan y Llew, er enghraifft, mewn sawl ffordd yn gysgod o'r Arglwydd Iesu Grist, y Llew o lwyth Jwda. Neges fawr yr efengyl Gristnogol yw y gall fod yn Nadolig arnom yng ngwlad y nychdod, yng ngwlad y rhew a'r eira. Yn wir yr unig ffordd i gael ein gwaredu o'n nychdod yw iddi ddod yn Nadolig arnom mewn gwirionedd, trwy i Grist gael ei eni trwy ffydd a thrwy ei Ysbryd yn ein calonnau. A'r canlyniad? Wel, yn un peth fe fydd y mynyddoedd o rew ac eira, a'n caethiwodd cyhyd yn ysbrydol ac yn foesol, yn dechrau cilio, fel cŵyr o flaen tân. Nid y bydd yn haf digymysg ar yr un Cristion tra ar y ddaear hon. Ernes sydd yma'n awr, blaenbrawf. Ond heb ernes, heb y Nadolig yn y galon, ni ddaw yn haf tragwyddol arnom fyth.

Wele'n wir ddirgelwch gwiwlan —
Gwir Fab Duw yn faban bychan!
Lluniwr nef, a'r môr, a'r ddaear,
Yn wir ddyn, yn blentyn hawddgar!

Awdur cyfraith yn ei Dduwdod
Dan y gyfraith yn y dyndod!
Crëwr yr holl fydoedd gwiwlwys,
A heb feddu lle i orffwys!

Beth a'i dug mor rhwydd a pharod
O lys nef i wlad y nychdod?
Beth a'i dug i fryn Calfaria?
Cariad, cariad! Haleliwia!

O! pa beth a gafodd ynom
I gynhyrfu cariad atom?
Dim, ond brad a du elyniaeth;
Seiniwn iddo, Iachawdwriaeth.

THOMAS JONES, DINBYCH (1756-1820)

AR FORE DYDD NADOLIG

Cynhwyswyd y garol hon yn y casgliad emynau Catholig, *Emynau Mynyw* (1938), wedi i Saunders Lewis ei chlywed tra yn cael pryd o fwyd yng nghartref athro ffiseg Coleg Prifysgol Abertawe yn Sgeti. Mae'r ddau bennill a gyhoeddir yma yn rhai y gallai unrhyw Brotestant eu canu'n galonnog. Ymdebygant i garol blygain yn y ffordd y symudant yn gyflym o'r Geni i'r Groes; a thrawiadol yw'r darlun yn y pennill cyntaf o lef y Baban newydd-anedig yn codi yn gymysg â lleisiau ei lu nefol ei hun yn canu 'Gogoniant yn y goruchaf'. Ond mae pennill clo'r garol, pennill sy'n gofyn i Fair am ei heiriolaeth, yn dangos mai carol Babyddol sydd gennym yma.

Gall fod ymhlith y carolau Cymraeg hynaf sydd ar glawr. Disgynnodd ar lafar yn nheulu gwraig yr athro ffiseg, Mrs Myra Evans, oddi wrth ei hen dad-cu, Daniel Williams, Glyngolau, Ceinewydd — gŵr a aned tua diwedd y 18fed ganrif, efallai — a dywedir i'r garol gael ei chludo i'r cylch hwnnw'n wreiddiol gan bobl o sir Ddinbych.

Awgrym *Emynau Mynyw*, ar sail ei hiaith, yw iddi gael ei chyfansoddi tua 1700, a diddorol nodi mai de-orllewin Cymru a sir Ddinbych oedd y ddwy ardal amlycaf eu cefnogaeth i achos y Jacobitiaid ar ddechrau'r 18fed ganrif. Ond oherwydd natur Babyddol ei chynnwys, oherwydd ei bod o ran ffurf yn agos at batrwm byrdwn-a-phennill y carolau canoloesol, ac am fod ei halaw yn gwreiddio yn nhraddodiad y blaengan, dadleua Phyllis Kinney a Meredydd Evans y gallai'r garol hon, ar ryw ffurf arni, ddyddio mor gynnar â diwedd y 15eg ganrif efallai.

Wrth ddysgu'r garol i'w wyres, fe siarsiai Daniel Williams, ac yntau'n arweinydd y gân gyda'r Methodistiaid Calfinaidd, iddi beidio â dangos na chanu'r pennill olaf i neb, am fod Protestaniaid yn credu fod 'i ni Eiriolwr gyda'r Tad, Iesu Grist y Cyfiawn' (1 Ioan 2:1), ac nad oedd yr Iesu *erioed* wedi ein dysgu i weddïo ar ei fam, ond yn hytrach i weddïo 'Ein Tad'. Ac o barch i'r hen Ddaniel ac i'n cydwybod Brotestannaidd ninnau, fe hepgorwn y pennill olaf!

Ar fore dydd Nadolig
Esgorodd y forwynig
Ar Geidwad bendigedig.
Ym Methlem dref y ganwyd Ef,
Y rhoes ei lef gyda'r llu.
   O! Geidwad a aned,
   Fe wawriodd arnom ddydd.

Dros euog ddyn fe'i lladdwyd
Ac mewn bedd gwag fe'i dodwyd
Ar ôl y gair 'Gorffennwyd!'
Ond daeth yn rhydd y trydydd dydd
O'r beddrod prudd drosom ni.
   O! Geidwad a aned
   Fe wawriodd arnom ddydd.

HEN GAROL GYMRAEG

PAN OEDD BUGEILIAID

Cofleidiodd Diwygwyr Protestannaidd Prydain y gred Galfinaidd mai'r Salmau, llyfr emynau Gair Duw, oedd y cyfrwng mwyaf priodol ar gyfer canu mawl yn yr eglwys; ac am rai canrifoedd wedi hynny, mydryddiadau o'r Salmau fu prif ddeunydd canu cynulleidfaol yr Eglwys Wladol a'r Hen Ymneilltuwyr yng Nghymru a Lloegr.

Yn 1696 cyhoeddwyd *A New Version of the Psalms of David*, mydryddiad o'r Salmau gan ddau Wyddel, Nahum Tate a Nicholas Brady, a awdurdodwyd gan y Brenin William III i'w ddefnyddio yng ngwasanaethau Eglwys Loegr. Nid esgymunwyd emynau yn llwyr o wasanaethau'r eglwys, a chynhwyswyd 16 emyn mewn atodiad i'r *New Version* a gyhoeddwyd yn 1700. Aeth 15 o'r rheini i ebargofiant llwyr. Ond nid felly'r llall, sef emyn Nadolig gan Tate yn dechrau 'While shepherds watched their flocks by night'.

Mydryddiad o ddarn o'r Ysgrythur yw'r emyn hwn hefyd, mewn gwirionedd, sef hanes ymweliad yr angel â'r bugeiliaid yn Luc 2:8-14. Dyma fugeiliaid yn clywed am ddyfodiad y Bugail Mawr ei hun (Mathew 2:4-6; Ioan 10:11). Y tebyg yw nad bugeiliaid cyffredin mo'r rhain ychwaith, ond bugeiliaid y preiddiau a fagwyd gerllaw Bethlehem ar gyfer aberthau'r Deml chwe milltir i'r gogledd yn Jerwsalem. Dyma fugeiliaid ŵyn y Deml, felly, yn mynd i dalu gwrogaeth i'r Oen a fyddai'n cael ei arwain i'r lladdfa er eu mwyn (Eseia 53:7).

Lluniwyd y cyfieithiad Cymraeg isod gan D. Gwyn Jones, golygydd yr enseiclopidia i blant, *Chwilota*. Fe'i lluniwyd ar gyfer *Llyfr Gweddi a Mawl i Ysgolion*, casgliad a gyhoeddwyd dan nawdd pwyllgorau addysg siroedd Caernarfon, Meirionnydd a Cheredigion yn 1958, a chasgliad y bu ef yn un o'i olygyddion.

> Pan oedd bugeiliaid gyda'u praidd
>   Yn gorwedd ar y bryn,
> Daeth angel Duw o'r t'wyllwch du
>   Fel golau disglair gwyn.
>
> Wrth weld eu braw a'u dychryn hwy,
>   'Nac ofnwch,' meddai ef,
> 'Cans dwyn yr wyf lawenydd mawr —
>   Newyddion da o'r nef.

'Ym Methlem ganwyd Ceidwad dyn,
   Sef Crist yr Arglwydd Dduw,
O dylwyth Dafydd Frenin gynt,
   I achub dynol-ryw.

'A dyma'r arwydd fydd i chwi:
   Cewch faban yn ei grud
Mewn preseb llwm yn llety'r ych
   A'r gwellt amdano'n glyd!'

Yn sydyn gyda'r seraff roedd
   Llu mawr o engyl glân
Yn llenwi'r nef, mewn moliant pur
   I Dduw, ar lafar gân:

'Gogoniant i'r Goruchaf Dduw,
   Tangnefedd is y nef;
I ddynion bydd ewyllys da
   Byth mwy, o'i eni Ef.'

NAHUM TATE (1652-1715)
cyf. D. GWYN JONES (g. 1918)

DEUWCH HOLL HILIOGAETH ADDA

Nid oes dim sy'n fwy cyfarwydd gan y Cristion o Gymro na rhannau o'r emyn godidog hwn gan yr athro-emynydd o sir Gaerfyrddin, Morgan Rhys. Oherwydd ei hyd, detholion ohono yn unig a gynhwysir yn ein llyfrau emynau, a thrueni hynny am ei fod yn ymffurfio'n gyfanwaith hyfryd.

Pwysleisir hynny trwy fod yr enwau 'hiliogaeth Adda' a 'llwch y llawr' yn y ddau bennill cyntaf, ill dau yn cael eu hailadrodd yn y ddau bennill olaf. Mae'r ddau enw hyn, a'r enwau eraill a roddir ar ddynol-ryw yn yr emyn — 'pechaduriaid', 'y colledig', 'gwywedig rai' — yn tanlinellu'r 'trueni mawr cwympasom iddo oll' yn ein tad Adda, ac maent yn gwrthgyferbynnu'n drawiadol â'r teitlau a roddir yma ar yr Iesu, Adda'r Ail.

Yn wir, un o'r pethau sy'n clymu'r emyn yn gyfanwaith yw'r lliaws teitlau a ddefnyddir drwyddo ar gyfer yr Iesu — Alffa ac Omega, Trysor, Cyfaill, Creawdwr, Cynhaliwr, Hollalluog, Meddyg, y Tragwyddol Fywyd, heb sôn am y rhai a godir o Eseia 9:6-7. Ac mae'r pentyrru hwn ar deitlau yn adeiladu darlun cyfoethog o'r Gwaredwr o gam i gam, nes cyrraedd yr uchafbwynt 'Mae E'n ddigon'.

Mae yna un teitl a gaiff ei ailadrodd droeon — pum gwaith i gyd — sef 'Ceidwad'; a gellir crynhoi thema'r emyn trwy ddweud mai anogaeth i glodfori'r Ceidwad ydyw. Dyma'r Un a folir gan angylion, 'sêr y bore' (Job 38:7), a dyma'r Un sy'n llawn haeddu ein moliant ninnau hefyd — 'rhyfeddod nef a daear lawr', yn wir.

> Deuwch holl hiliogaeth Adda
> I glodfori'n Ceidwad mawr,
> Gwisgodd natur wael pechadur,
> Rhyfeddod nef a daear lawr:
> Dyma'r Alffa,
> A'r Omega mawr yn ddyn.
>
> Er bod lluoedd o angylion
> Yn ei foli yn gytûn
> Yn eithafoedd tragwyddoldeb,
> Cyn ei wisgo â natur dyn,
> Roedd ei galon
> Gyda annheilwng lwch y llawr.

Peraidd ganodd sêr y bore
  Ar enedigaeth Brenin ne';
Y doethion, a'r bugeiliaid hwythau,
  Teithient i'w addoli E':
    Gwerthfawr Drysor!
  Yn y preseb Iesu gaed.

Dyma y newyddion hyfryd
  Glywyd gan angylion Duw,
Fod y Ceidwad wedi'i eni
  I golledig ddynol-ryw:
    Ffyddlon Gyfaill!
  Bechaduriaid, molwn Ef.

Dyma'r Bachgen aned i ni,
  Mab a roddwyd in gan Dduw;
Ef yw'r unig un arfaethwyd
  I waredu dynol-ryw
    O'r trueni
  Mawr cwympasom iddo oll.

Ei enw alwyd yn Rhyfeddol,
  I dragwyddoldeb felly bydd;
Fe broffwydodd y proffwydi,
  Cyn ei ddyfod, am ei ddydd:
    Cawd in Geidwad,
  Gorfoleddwn ynddo Ef.

Tad tragwyddol yw ei enw,
  T'wysog y tangnefedd yw;
Creawdwr mawr y bydoedd ydyw,
  A Chynhaliwr dynol-ryw:
    Hollalluog,
  Daeth i farw yn ein lle.

Dyma Geidwad i'r colledig,
  Meddyg i'r gwywedig rai;
Dyma Un sy'n caru maddau
  I bechaduriaid mawr eu bai:
    Diolch iddo
  Fyth am gofio llwch y llawr.

Brenin tragwyddoldeb ydyw,
  Llywodraethwr dae'r a ne';
Fyth ni wêl hiliogaeth Adda
  Geidwad arall ond Efe:
    Mae E'n ddigon,
  Y Tragwyddol Fywyd yw.

MORGAN RHYS (1716-79)

MAE GWAHODDIAD INNI HEDDIW

Bu adeg y Nadolig yn gyfnod o ddathlu mawr ar draws Ewrop er y cyfnod cyn-Gristnogol — dathlu cyrraedd canol gaeaf. Yng Nghymru, cafwyd seibiant o waith y tir ac ymroi i rialtwch y Fari Lwyd a hela'r dryw — arferion sy'n deillio (o bosibl) o hen ddefodau ffrwythlondeb.

Mae'n adeg o lawenydd yn y calendr eglwysig hefyd — gŵyl dathlu dyfodiad y Ceidwad. Ni ŵyr neb union ddyddiad geni Crist. Mae'n bosibl iawn ei fod tua 25 Rhagfyr. Ond ni fabwysiadwyd y dyddiad hwnnw'n swyddogol hyd y 4edd ganrif, ac un o'r ystyriaethau pennaf o'i blaid oedd ei fod yn cyd-daro â gwyliau paganaidd poblogaidd.

Impio gŵyl Gristnogol ar hen wyliau paganaidd a wnaeth yr eglwys, felly, yn achos y Nadolig. Y bwriad oedd eu disodli a rhoi rhywbeth amgenach yn eu lle; ond y gwir yw y bu tyndra rhwng dwy wedd y dathlu — rhwng 'gŵyl y cnawd' a 'gŵyl yr Ymgnawdoliad', fel y dywedir — byth er hynny. Ond os gall y 'byd' ymroi mor frwdfrydig i ddathlu ar ganol gaeaf, pa faint mwy o reswm sydd gan y Cristion i ymateb i wahoddiad J.D. Jones, Rhuthun, i gadw gŵyl!

Mae gwahoddiad inni heddiw
 I gadw gŵyl;
Clywch heb gêl y clych yn canu;
 O! cadwn ŵyl!
Gŵyl i goffa'r bore dedwydd —
Genedigaeth Crist yr Arglwydd;
Rhoddwn foliant am y newydd;
 O! cadwn ŵyl!
Heddiw ganed draw ym Methlem
Y gwir Seilo, aer Caersalem;
Ei addoli Ef a ddylem;
 O! cadwn ŵyl!

Dyma'r hen addewid fore
 Nawr wedi dod;
Dyma'r gwreiddyn o gyff Jesse
 Nawr wedi dod;
Dyma sylwedd y cysgodau,
Dyma ddiwedd yr aberthau,
Yn y preseb mewn cadachau,
 Nawr wedi dod;
Dyma fachgen Esau'r proffwyd,
Dyma'r Mab i ni a roddwyd,
Dyma'r ffordd i fythol fywyd,
 Nawr wedi dod.

Gwelwn gariad rhad difesur;
 O! ryfedd ras!
Ganwyd Ceidwad i bechadur;
 O! ryfedd ras!
Cadd ei eni o Fari'r forwyn,
Roddes laeth ei bron i'w Brenin
Ac a'i daliodd ar ei deulin;
 O! ryfedd ras!
Rhyfedd ydoedd ei gnawdoliaeth,
Rhyfedd yn ei enedigaeth,
Rhyfedd fywyd, a marwolaeth;
 O! ryfedd ras!

Crist agorodd ffordd i'n gwared;
 Clod iddo byth!
Crist a'n dygodd o'n caethiwed;
 Clod iddo byth!
Iesu hynod roes ei hunan
Dros bechadur euog, aflan,
I'w waredu o feddiant Satan;
 Clod iddo byth!
Ar ei lais, bechadur, gwrando;
Nid yw'n gwrthod neb ddêl ato,
Ond yn derbyn pawb a gredo;
 Clod iddo byth!

J.D. JONES ('Eos Powys'; 1827-70)

'O'R NEF RWY'N DYFOD
ATOCH CHWI'

O'r Almaen y daeth y goeden Nadolig i Brydain. Almaenwr oedd gŵr y Frenhines Victoria, a lledodd yr arfer o godi coed Nadolig yn gyflym iawn wedi i'r teulu brenhinol godi un yng Nghastell Windsor yn 1841. Ond roedd codi coed Nadolig mewn cartrefi i ddathlu'r Nadolig yn hen arfer yn yr Almaen ymhell cyn hynny.

Cysylltir y goeden Nadolig â'r cenhadwr o'r 8fed ganrif, Boniface — 'Apostol yr Almaen' — a dorrodd i lawr dderwen a gysylltid ag aberthau paganaidd un mis Rhagfyr, a chyflwyno i'r bobl yn ei lle ffynidwydden fach wedi'i haddurno er anrhydedd i'r plentyn Iesu, a'i dail bytholwyrdd yn symbol o'r bywyd tragwyddol sydd i'w gael ynddo. Fe'i cysylltir hefyd â'r defnydd o goed bytholwyrdd i gynrychioli Pren y Bywyd (Genesis 2:9) yn nramâu crefyddol yr Almaen yn yr Oesoedd Canol. Ond Martin Luther sy'n cael y clod am oleuo'r goeden. Dywedir iddo godi ffynidwydden yn ei gartref yn Rhagfyr 1540, a gosod canhwyllau bychain arni i gynrychioli'r sêr ac arwyddo fod croeso i'r Crist ar ei aelwyd.

Roedd Luther yn hoff eithriadol o ganu ac o gerddoriaeth. Ef a ysgrifennodd lawer o emynau cynnar y Diwygiad Protestannaidd yn yr Almaen. Roedd yn amlwg yn hoff iawn o ddathlu'r Nadolig hefyd, ac mae'r hoffter hwn a'i hoffter o ganu yn cyfuno'n hyfryd yn ei garol dyner *Vom Himmel hoch*. Tynnai Luther yn drwm ar ganu'r werin, yn ogystal ag ar yr Ysgrythurau, wrth lunio'i emynau. Adleisio cân a oedd yn boblogaidd ymhlith pobl ifainc yr Almaen yn ei oes a wna Luther ym mhennill agoriadol y garol hon, ac fe'i canwyd yn wreiddiol ar yr un dôn â'r gân boblogaidd honno.

Math ar ddrama Nadolig yw'r garol. Fe'i hysgrifennwyd tua 1534, yn 15 pennill i gyd, ar gyfer y dathliadau ar aelwyd Luther noswyl Nadolig. Mae'n seiliedig ar hanes yr angel yn cyhoeddi'r newydd am eni'r Iesu wrth y bugeiliaid yn ail bennod Efengyl Luc. Canwyd y penillion cyntaf gan ddyn wedi'i wisgo fel angel, gyda phlant Luther yn canu'r gweddill. Cân seml a gwresog o groeso a mawl i'r Mab ydyw, sy'n cyrraedd uchafbwynt mewn gweddi ar iddo ddod i'r galon yn ogystal ag i'r preseb.

Canwyd y cyfieithiad hwn am y tro cyntaf mewn cyfarfod i ddathlu 500 mlwyddiant geni Luther a gynhaliwyd gan yr Eglwys Efengylaidd Gymraeg yng Nghaerdydd, lle y mae Noel Gibbard yn weinidog.

'O'r nef rwy'n dyfod atoch chwi,
Newyddion da fynegaf i;
Newyddion o lawenydd mawr,
Am hyn y canaf i yn awr:

'Bachgen a aned nawr o Fair,
Y forwyn fwyn, yn ôl y Gair;
Y bychan hwn, yn wael ei fyd,
A ennyn gân eich byd i gyd.

'Hwn, Grist ein Duw, a glywodd fry
Eich chwerw a'ch gofidus gri;
Efe ei hun eich Ceidwad fydd;
Efe ei hun a'ch gwna yn rhydd.

'Dyma'r arwyddion er ei gael:
Preseb yr ych, cadachau gwael;
Yno y cewch y baban hwn,
Crëwr y byd i gyd yn grwn.'

O! croeso i Ti, westai hael,
Dy fendith sydd i fyd mor wael!
Derbyn a wnest fy nhrallod i:
Pa ddiolch, dywed, dalaf fi?

O! annwyl Iesu, blentyn pur,
Gwna 'stafell wely lân, heb gur,
O dan fy mron, a chadwaf hi
Yn 'stafell ddirgel byth i Ti.

Llama fy nghalon drwyddi i gyd;
Ni all fy ngenau fod yn fud;
A'm tafod i a seinia'n lân
Yr hen, felysaf, breseb-gân —

'Gogoniant i'r goruchaf Dduw
A roes ei Fab i ddyn gael byw!'
Mewn dwyfol hwyl y lluoedd fry
Gân flwyddyn newydd dda i ni.

MARTIN LUTHER (1483-1546)
cyf. NOEL A. GIBBARD (g. 1932)

MAE LLONG YN DOD DAN HWYLIAU

Un o bregethwyr enwocaf yr Almaeneg yw Johann Tauler. Fe'i ganed yn Strasbourg (sydd yn rhan o Ffrainc erbyn hyn), a threuliodd y rhan fwyaf o'i fywyd yn y cyffiniau. Roedd yn bregethwr grymus mewn cyfnod cythryblus. Pregethai'n syml a chlir, ac yr oedd yn hoff o ddefnyddio darluniau o fywyd bob dydd wrth bregethu. Gosodai Tauler bwys mawr ar weithio allan y ffydd Gristnogol yn ymarferol. Yr oedd, ar yr un pryd, ymhlith cyfrinwyr amlycaf ei oes.

Ffynnodd cyfriniaeth yn yr Almaen a'r Iseldiroedd yn y 14eg ganrif. Gosodai'r cyfrinwyr bwyslais ar berthynas yr unigolyn â Duw yn hytrach nag ar iachawdwriaeth trwy gyfrwng yr eglwys. 'Carwr calonnau yw Duw, ac y mae'n cymuno'n uniongyrchol ac nid trwy unrhyw beth allanol,' meddai Tauler mewn un man. Gofynnodd athro Tauler, y cyfrinydd Johann Eckhart, mewn pregeth Nadolig un tro, wrth iddo sôn am y Geni, 'Oni ddigwydd ynof fi, pa les sydd iddo?'

Dywed Eckhart mewn man arall, 'Pan fydd yr enaid yn esgor ar y Mab, y mae yn fwy llawen na Mair'; ac mae Tauler yntau yn pwysleisio'n gyson yn ei bregethau fod yn rhaid i Dduw gael ei eni yn yr enaid. Er i Tauler aros yn aelod ufudd o'r Eglwys Babyddol, bu ef a'i gyd-gyfrinwyr yn rhan o'r braenaru ar gyfer y Diwygiad Protestannaidd, a darllenodd Luther ei waith gyda budd a brwdfrydedd.

Priodolir y garol Almaeneg isod i Tauler. Fe'i cyfieithwyd i'r Gymraeg ar gyfer *Llyfr Carolau Deiniol*, a gyhoeddwyd gan Bwyllgor Cerdd Esgobaeth Bangor yn 1974. Mae mwy nag un fersiwn o'r garol ar gael, ac mewn un pennill nas cynhwysir yn *Llyfr Carolau Deiniol*, eglurir mai cynrychioli'r Forwyn Fair y mae'r llong yn y garol. Ac er mai delwedd wahanol sydd ganddo, cawn ein hatgoffa am gerdd Gwenallt i Grist fel Awyren Fôr: 'Wrth i Fair roddi i'r Crist ein cnawd /Y disgynnodd i fôr ein byw:/Ac esgynnodd trwy'r wybrennau gyda'i glwyfau gwych/I eirio trosom ar Dduw.'

Mae llong yn dod dan hwyliau
  Gan gludo'i thrysor mad:
Mab Duw yn llawn grasusau,
  Tragwyddol Air y Tad.

Yn dawel dros y tonnau,
  A'i llwyth, mor werthfawr yw;
Yr Ysbryd Glân yw'r mastiau
  A'r hwyl yw cariad Duw.

Yr angor a ollyngir;
  Daw'r llong i'r lan o'r lli:
Gair Duw mewn cnawd a welir;
  Y Mab yn rhodd i ni.

Fe anwyd baban bychan
  Mewn stabl ym Methlem dref.
Dros ddyn fe'i rhoes ei hunan.
  Ein gobaith byth yw Ef.

JOHANN TAULER (*c.* 1300-61)
cyf. SELYF ROBERTS (g. 1912)

DOS, DYWED AR Y MYNYDD

Yn sgîl y Rhyfel Cartref yn yr 1860au, rhyddhawyd caethion yr Unol Daleithiau. Sefydliad a godwyd yn Nashville, Tennessee ar ddiwedd y rhyfel hwnnw er mwyn gwasanaethu'r bobl dduon oedd Prifysgol Fisk. Un o noddwyr y brifysgol hon oedd y pregethwr Americanaidd enwog, Henry Ward Beecher — brawd Harriet Beecher Stowe, awdur *Uncle Tom's Cabin*, ac un y daeth ei hen hen fam-gu, Mary Roberts, o blwyf Llanddewibrefi.

Er gwaethaf pob gwrthwynebiad, daeth llawer o gaethion duon yr Unol Daleithiau yn Gristnogion. Datblygwyd corff o emynau llafar gwlad yn eu plith, y 'Negro Spirituals', a gyfunai elfennau o'u hen ddiwylliant Affricanaidd ag elfennau o ganu mawl y dyn gwyn. A'r rhai a fu'n gyfrifol am dynnu sylw at y caneuon hyn am y tro cyntaf ar raddfa eang oedd grŵp o gantorion o Brifysgol Fisk.

Cân o fyd y 'spiritual' Affro-Americanaidd yw'r garol isod. Traddodiadol yw geiriau'r gytgan, ond lluniwyd y penillion gan un o ddarlithwyr Prifysgol Fisk, J. W. Work. Cafwyd sawl cyfuniad o benillion Saesneg ar yr alaw dros y blynyddoedd, a chyfieithwyd un o'r fersiynau mwyaf cyfarwydd gan Dafydd Owen, ar gyfer y casgliad *Diolch i Ti* (1971). Yma ceir cyfieithiad Edmund Owen o benillion gwreiddiol Work, wedi'i briodi â chyfieithiad adnabyddus Dafydd Owen o'r gytgan draddodiadol.

Braint a chyfrifoldeb pob un a ddaw o hyd i'r Ceidwad yw sôn amdano wrth eraill, gan ddechrau yn ei gynefin (Actau 1:8). Ni bu raid annog y bugeiliaid i ddweud wrth eu cyd-fugeiliaid ar y mynydd ac wrth bawb ym mhob man (Luc 2:17-18). Beth amdanom ni?

Tra gwylio roedd bugeiliaid
  Eu tawel braidd liw nos,
Llewyrchodd golau sanctaidd
  Yn ddisglair dros y rhos.

A dirfawr ofni wnaethant,
  Ond wele! uwch y llawr
Moliannai'r lliaws nefol
  Am eni'r Ceidwad mawr.

Ac wele! wedi'r gweled
  Bu gwylaidd blygu pen,
A myned o'r bugeiliaid
  Ynghyd i Fethlehem.

Draw yn y preseb isel
  Ar ddydd Nadolig gwyn
Y ganed Crist yr Arglwydd,
  Rhodd dwyfol ras i ddyn,

Dos, dywed ar y mynydd,
  Ledled y bryn ac ym mhob man;
Dos, dywed ar y mynydd
  Am eni Iesu Grist.

JOHN WESLEY WORK (1873-1925)
cyf. y penillion: EDMUND T. OWEN (g. 1935); y gytgan: DAFYDD OWEN (g. 1919)

O! DEUWCH, FFYDDLONIAID

Nid yw'r cyfieithiad isod o'r emyn adnabyddus 'Adeste fideles' lawer yn hŷn na dechrau'r ganrif bresennol. Ond lluniwyd y Lladin gwreiddiol ddechrau'r 18fed ganrif gan Sais a drigai yn Douai yn Ffrainc, ac ef hefyd yw awdur y dôn adnabyddus.

Cyrchfan bwysig i ffoaduriaid Pabyddol o Loegr yng nghyfnod y Jacobitiaid oedd Douai, ac mae cysylltiad uniongyrchol rhwng yr emyn hwn a Iago'r 'Ymhonnwr' — mab Iago II a ddisodlwyd fel brenin Lloegr yn 1688 oherwydd ei ddaliadau Pabyddol. Lluniwyd yr emyn ryw ddwy flynedd cyn cyrch aflwyddiannus 'Bonnie Prince Charlie' yn 1745 i gipio coron Prydain i'w dad; a'r pennawd uwchben yr emyn yn un o lawysgrifau'r awdur yw 'gweddi dros Iago'. Gall fod mwy nag un ystyr yn wreiddiol, felly, i 'ffyddloniaid' y llinell gyntaf!

Yn ogystal â'r cyfeiriad at Luc 2, cawn ein hatgoffa o bennod gyntaf yr Epistol at yr Hebreaid yn yr ymadrodd 'Brenin yr angylion', ac o agoriad mawreddog Efengyl Ioan yn y geiriau 'Gair y Tragwyddol'. Yn y Lladin ceir pennill arall yn dilyn y pennill cyntaf, sy'n adleisio'n gryf rai o gymalau Credo Nicea a luniwyd yn y 4edd ganrif i wrthwynebu'r heresi Ariaidd a honnai mai bod creedig ac nid gwir Dduw oedd Iesu Grist.

O! deuwch, ffyddloniaid,
Oll dan orfoleddu,
O! deuwch, O! deuwch i Fethlehem dref:
Wele, fe anwyd
Brenin yr angylion:
O! deuwch ac addolwn,
O! deuwch ac addolwn,
O! deuwch ac addolwn Grist o'r nef!

O! cenwch, angylion,
Cenwch, gorfoleddwch;
O! cenwch, chwi holl ddinasyddion y nef:
Cenwch 'Gogoniant
I Dduw yn y goruchaf!'

O! henffych, ein Ceidwad,
Henffych well it heddiw:
Gogoniant i'th enw trwy'r ddaear a'r nef;
Gair y Tragwyddol
Yma'n ddyn ymddengys:

JOHN FRANCIS WADE (1710/11-86)
cyf. ANHYSBYS

MAE'N WIR

Un o emynwyr gorau ein dyddiau ni yw W. Rhys Nicholas. Brodor o sir Benfro ydyw yn wreiddiol, ond ymgartrefodd ym Mhorth-cawl ers llawer blwyddyn bellach. Ei emynau mwyaf adnabyddus yw 'Tydi a wnaeth y wyrth' a 'Tyrd atom ni'. Ysgrifennodd nifer o garolau poblogaidd hefyd, megis 'Carol Gŵr y Llety' a 'Mae'r nos yn fwyn'. Cyfansoddwyd y garol 'Mae'n wir' am iddo deimlo'n gryf fod angen pwysleisio gwirionedd amgylchiadau'r Geni yng nghanol oes sy'n tueddu i'w ddarostwng i lefel chwedl tylwyth teg.

Mae'n dda clywed llais Joseff yn y garol hon. Yn amlach na pheidio, Mair, yr angylion, y bugeiliaid a'r doethion yw'r cymeriadau sy'n cael y sylw wrth ailadrodd yr hanes, heb fawr o sôn am Joseff nac am gymeriadau eraill megis Simeon ac Anna. Gŵr diymhongar, ychydig yn swil efallai, yw'r argraff a gawn o Joseff yn yr Efengylau, ond nid yw tamaid yn llai ei ffydd na'r lleill o'r herwydd. Yn wir, o ddarllen yn ystyriol yr hanes amdano ym mhenodau cyntaf Mathew a Luc, gwelwn ŵr o egwyddor a thynerwch a chadernid tawel sy'n esiampl wych o ffydd a duwioldeb.

'Mae'n wir,' medd bugeiliaid,
    Wrth fynd ato Ef,
'Fe glywsom y newydd
    Gan angel o'r nef;
Rhaid teithio i Fethlem
    Lle ganed Mab Duw,
Mae'n rhaid ei addoli,
    Ein Ceidwad ni yw.'

'Mae'n wir,' medd angylion,
    A'u cân uwch y tir,
'Mae'n wir,' medd yr Arglwydd,
    'O! credwch, mae'n wir.'

'Mae'n wir,' medd y doethion
    Wrth syllu i'r nen,
'Mae'r seren ryfeddol
    Yn ddisglair uwchben;
Rhaid inni ei geisio
    I'w foli o hyd,
Fe'i ganed yn Frenin
    Brenhinoedd y byd.'

'Mae'n wir,' meddai Joseff,
    'Mae'n wir,' meddai Mair,
'Rhoed inni'r addewid
    A chredwn y Gair;
Mae bellach yn gorwedd
    Mewn preseb mor glyd,
Yn faban bach annwyl,
    Gwaredwr y byd.'

W. RHYS NICHOLAS (g. 1914)

LOYWAF O'R SÊR

Brodor o'r Gororau oedd Reginald Heber, a bu ganddo gysylltiadau clòs â Chymru a diddordeb mawr yn ein hiaith a'n diwylliant. O 1823 hyd ei farw bu'n Esgob Calcutta, ond treuliodd y blynyddoedd rhwng 1807 a'i ymadawiad am yr India yn rheithor Hodnet yn sir Amwythig. Roedd yn awyddus i emynau gael lle amlycach yng ngwasanaethau Eglwys Loegr, a thra yn Hodnet lluniodd nifer o emynau addas i'w canu ar wahanol adegau yn y flwyddyn eglwysig. Un o'r cyntaf iddo ei gyhoeddi oedd yr emyn isod, a ymddangosodd mewn cylchgrawn yn Nhachwedd 1811.

Emyn ar gyfer yr Ystwyll yw 'Brightest and best of the sons of the morning'. Cedwir gŵyl yr Ystwyll ('gŵyl y Seren') ar 6 Ionawr. Dyma ddiwedd ffurfiol gwyliau'r Nadolig a dyna paham y tynnir yr addurniadau Nadolig i lawr yr adeg honno. Yn y calendr eglwysig, nodi ymweliad y doethion â'r baban Iesu, a'i amlygiad i genedl-ddynion, y mae gŵyl yr Ystwyll. ('Amlygiad bod goruwchnaturiol' yw ystyr 'Epiphany', enw Saesneg yr ŵyl.) Ond nid y doethion yn unig sydd gan Heber mewn golwg yn yr emyn; fe'n tynnir ni oll i'r darlun a'n hatgoffa mai rhodd rhad Duw yw'r iachawdwriaeth yng Nghrist i'r cenedl-ddyn fel ag i'r Iddew (Effesiaid 2), ac mai'r galon sy'n cyfrif yng ngolwg Mab Dafydd (1 Samuel 16:7).

> Loywaf o'r sêr sydd yn britho'r ffurfafen,
>   Gwasgar ein t'wyllwch a gwawried y dydd;
> Seren y dwyrain, rhagflaenydd yr heulwen,
>   Dwg ni i'r fan lle mae'r Baban ynghudd.
>
> Gwelwch mor isel ei ben yn y preseb,
>   Disglair yw oerwlith y nos ar ei grud;
> Moled angylion mewn llety cyn waeled
>   Frenin, Creawdwr a Cheidwad y byd.
>
> A dalwn iddo y gorau o'n trysor —
>   Thus o wlad Edom yn bersawr ei swyn,
> Gemau o'r mynydd, a pherlau o'r dyfnfor,
>   Myrr o'r coedwigoedd, ac aur o'r clawdd mwyn?
>
> Ofer ag aur ceisio prynu'i fendithion,
>   Ofer â golud y ddaear yn hael;
> Gwell ganddo gywir addoliad y galon,
>   Gwell gan yr Iesu yw gweddi y gwael.

REGINALD HEBER (1782-1826)
cyf. WILLIAM WILLIAMS, LLANRHAEADR-YM-MOCHNANT (1806-77), *n.*

DEFFROWN! DEFFROWN!

Mae i ganhwyllau le amlwg yn nathliadau'r Nadolig. Mae rheswm ymarferol dros hynny, wrth gwrs, gan mai dyma adeg dywylla'r flwyddyn. Ond mae iddo arwyddocâd Cristnogol hefyd, gan mai dyma adeg dathlu dyfodiad 'y gwir Oleuni' i'r byd (Ioan 1:9).

Cawn ein hatgoffa yn y penillion isod, gan un o'n carolwyr gorau, o'r arfer o godi'n blygeiniol ar fore'r Nadolig i fynd i eglwys y plwyf. Un o'r pethau mwyaf trawiadol am yr hen blygeiniau oedd gweld yr eglwys wedi'i goleuo gan ganhwyllau'r plygeinwyr — cannoedd ohonynt weithiau, a'r rheini wedi'u gosod ymhob twll a chornel o'r adeilad. Yng nghapeli'r de yn y ganrif ddiwethaf aeth y plygain yn gyfarfod gweddi a gynhelid tua 5 a.m., a daeth canhwyllau addurnedig yn nodwedd amlwg iawn ynddo. Deuai pob teulu â chanhwyllau wedi'u haddurno'n gain a'u gwisgo â phapur amryliw. Bu cryn gystadlu yn aml am lunio'r gannwyll harddaf; ac ar dro, drwy anap, âi ambell gannwyll yn wenfflam yn ystod y cwrdd, 'a lludw'r papur yn hofran uwchben drwy y capel'!

Y pedwar Sul sy'n arwain at y Nadolig yw Suliau'r Adfent — y 'Dyfodiad'. Yn y calendr eglwysig, dyma gyfnod o baratoi ar gyfer gŵyl y Nadolig, ac ar un adeg yr oedd yn gyfnod o ymprydio, digon tebyg i gyfnod y Garawys o flaen gŵyl y Pasg — a thipyn yn wahanol i'n paratoadau cyfoes! Mae pedwar Sul yr Adfent yn coffáu pedwar dyfodiad y Crist — ei ddyfod yn y cnawd, ei eni yn y galon, ei ddyfodiad i bawb yn awr marwolaeth, a'i ailddyfodiad buddugoliaethus fel Barnwr y byw a'r meirw. Yn yr Almaen mae'n arfer llunio torchau Adfent. Gosodir pedair cannwyll ar y dorch a'u goleuo bob Sul yn eu tro, gyda'r goleuni felly yn mynd ar gynnydd o Sul i Sul wrth nesáu at y Nadolig. Boed yn wir i'w oleuni Ef fynd ar gynnydd yn nhywyllwch ein byd.

> Deffrown! deffrown! a rhown fawrhad
>   Cyn toriad dydd;
> I ddwyfol Aer y nefol wlad
>   Croesawiad sydd.
> Fe ganodd sêr er bore'r byd,
> Sef holl angylion Duw ynghyd;
> Fe ganodd y proffwydi i gyd,
>   Heb fod yn gau;

A pham na chanwn ninnau'n un
Am gael Jehofa mawr ei hun,
Mewn dull fel dyn, ac ar ein llun,
    I'n gwir wellhau.

O! ryfedd rad y cariad cu
    A ddarfu ddwyn
I'n plith y Meddyg, Iesu mad,
    Samariad mwyn!
Gadawodd orsedd nefol wlad,
Ei 'wyllys oedd er ein llesâd,
I lawr y daeth o lys ei Dad
    I'n hisel dir;
O'n natur lesg cymerodd ran,
Bu iddo 'mostwng ym mhob man,
Mewn beudy'n wael, mewn byd yn wan,
    Bu'n bod yn wir.

ROBERT DAVIES ('Bardd Nantglyn'; 1769-1835)

BETH YW'R ATSAIN O EFFRATA?

Un canlyniad diwygiadau ysbrydol y 18fed a'r 19eg ganrif oedd creu gwerin lafar a llengar yng Nghymru, ac erbyn ail hanner y ganrif ddiwethaf aeth cyfarfodydd diwylliadol a chystadleuol yn rhan gyffredin o arlwy'r capeli. Amser poblogaidd ar gyfer cynnal gweithgareddau diwylliannol o'r fath fu dydd Nadolig. Arloeswr yn hyn o beth oedd Roger Edwards, un o arweinwyr mwyaf dylanwadol y Methodistiaid Calfinaidd yn y ganrif ddiwethaf. Cynhelid cyfarfod llenyddol a chystadleuol bob dydd Nadolig gan eglwys Roger Edwards yn yr Wyddgrug o 1851 ymlaen. 'Bu y cyfarfodydd hyn o fendith anhraethol i mi,' meddai'r enwocaf o blant yr eglwys, Daniel Owen.

Bu gan Roger Edwards ran allweddol yn natblygiad Daniel Owen fel nofelydd. Edwards oedd golygydd *Y Drysorfa* rhwng 1847 a'i farw yn 1886. 'Cymhellwyd fi,' meddai Daniel Owen, 'gan Olygydd y *Drysorfa* i ysgrifennu nofel; ac er i mi wrthod yn bendant ymgymeryd â'r fath orchwyl, ni fynnai Mr Roger Edwards ei nacáu, ac ar amlen y *Drysorfa* ddiwedd y flwyddyn gwelwn, ymhlith llawer o addewidion eraill am y flwyddyn ddyfodol: "Y Dreflan, gan Daniel Owen" . . . Nid oedd dim i'w wneud bellach ond dechrau arni.' Mewn un ystyr, felly, i Roger Edwards y mae'r diolch fod gennym ddisgrifiadau mor fyw â'r hanes yn y nofel *Gwen Tomos* am Twm Nansi yn baglu'r ficer yng ngwasanaeth y plygain.

Ysgrifennodd Roger Edwards nifer o emynau ar yr Ymgnawdoliad. Bethlehem yw 'Effrata' yn yr emyn isod, wrth gwrs (Micha 5:2).

'Beth yw'r atsain o Effrata?'
  Nefol lu yn seinio sydd.
'Beth yw pwnc eu Haleliwia?'
  Crist a anwyd! Dyma'r dydd!
Awn ar frys i ddinas Dafydd
  I gael gweled Duw mewn cnawd:
Bendigedig yn dragywydd,
  Cawsom Frenin nef yn Frawd!

'Pwy yw Hwn, sy'n faban tawel?'
  Arglwydd tragwyddoldeb mawr.
'Beth a'i dygodd Ef mor isel?'
  Cariad rhad at lwch y llawr.
Ar adenydd tosturiaethau,
  Disgyn wnaeth o entrych nef;
Seiniwn foliant bob amserau
  Am ei ras anfeidrol Ef.

'Beth yw Iesu i'r angylion?'
  Eu Tywysog mawr ei fri.
'Pa berthynas yw i ddynion?'
  Brawd a Phrynwr yw i ni.
Os chwareuant hwy eu tannau,
  Mwy yw'n dyled ni a'n hawl;
Crist yr Arglwydd, ni a'i piau!
  Llanwer daear gron â'i fawl.

ROGER EDWARDS (1811-86)

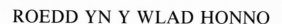

ROEDD YN Y WLAD HONNO

Un o Lanbedr Ardudwy ym Meirionnydd oedd 'Siôn Ebrill'. Ysgrifennodd nifer dda o garolau plygain. Mae wyth pennill ynghyd â byrdwn i'r garol 'Roedd yn y wlad honno' yn y fersiwn llawn ohoni. Roedd yn arfer gan lawer un osod dyddiad ei garol ar gân, ac ym myrdwn y garol hon dywed Siôn Ebrill: 'Mae oedran ein Harglwydd un mil a saith ganmlwydd,/Naw dengmlwydd a dwyflwydd yn dod.' Fe'i cyfansoddwyd felly ar gyfer Nadolig 1792.

Yn y trydydd pennill, gwelwn ddau frenin, sef yr Iesu a Herod. Roedd ganddynt yr un teitl. 'Brenin yr Iddewon' oedd yr enw a roddwyd ar Herod gan ei feistriaid Rhufeinig, a dyna'r enw a roddwyd ar groes yr Iesu gan y rhaglaw Rhufeinig, Pilat. Ond dyna'r unig debygrwydd rhyngddynt. Palasau a chaerau oedd cynefin Herod; stabl a gweithdy saer oedd cynefin Brenin Nef. Lladd plant Bethlehem a wnaeth Herod (Mathew 2:16); 'Gadewch i'r plant bychain ddyfod ataf fi,' meddai'r Crist (Luc 18:16). Dal ei deyrnas trwy ladd a wnâi'r cyntaf, ond ennill ei ddeiliaid trwy gael ei ladd yn eu lle a wna'r Iesu.

Mae dau dywysog yn y pennill hwn hefyd, a gelyniaeth anghymodlon rhyngddynt. Yr Iesu, Tywysog Tangnefedd, yw'r naill. Y diafol — 'y Sarff', 'y ddraig', 'tywysog y byd hwn' — yw'r llall. Yma eto y mae byd o wahaniaeth rhwng y ddau. Fel Herod, 'lleiddiad dyn' yw Satan 'o'r dechreuad' (Ioan 8:44); dwyn bywyd ac iechyd y mae Crist (Malachi 4:2). Ond nid oes amheuaeth pa un fydd drechaf. Yn union awr y Cwymp cafwyd yr addewid cyntaf am Waredwr, Un a fyddai'n drech na Satan (Genesis 3:15). Ac er gwaethaf pob gallu a chyfrwystra ar ei ran, mae gan y Bugail Mawr y gallu a'r ewyllys i amddiffyn pob un o'i braidd rhag cael ei larpio ganddo.

> Roedd yn y wlad honno fugeiliaid yn gwylio
>   Eu praidd, rhag eu llarpio'n un lle;
> Daeth angel yr Arglwydd, mewn didwyll fodd dedwydd,
>   I draethu iddynt newydd o'r ne',
> Gan hyddysg gyhoeddi fod Crist wedi'i eni —
>   Mawr ydyw daioni Duw Iôr —
> A hwythau pan aethon' i Fethlem, dref dirion,
>   Hwy gawson' un Cyfion mewn côr.

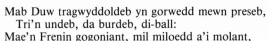

Mab Duw tragwyddoldeb yn gorwedd mewn preseb,
  Tri'n undeb, da burdeb, di-ball:
Mae'n Frenin gogoniant, mil miloedd a'i molant,
  Fe'n tynnodd o feddiant y fall.

Ni chafodd Mair burwen o amgylch ei bachgen
  Na rhwymyn na gwlanen yn glyd,
Na pherlau na pharlwr, na seigiau na siwgwr,
  I Brynwr a Barnwr y byd;
Cadachau'n cynhesu gwir Frenin uchelfri,
  A'r preseb yn wely di-wad;
O! gwelwch Mair ffyddlon, mor isel, mor raslon,
  Yn magu'n dra thirion ei Thad.
Rhoes laeth i famaethu i'w Brenin o'i bronnau,
  A'i drin ar ei gliniau drwy glod;
O'i chroth yr esgorodd, o'i dwyfron y porthodd
  'R hwn ydoedd cyn bydoedd yn bod.

Fe wybu'r Sarff wrthun 'r ysigid ei cholyn
  Pan anwyd anwylddyn y ne',
A'r ddraig a ddechreua ryw filain ryfela,
  Ei harfau'n rhai llyma' 'mhob lle.
Rhoes diafol yng nghalon yr hen Herod greulon
  I ladd y Mab ffyddlon heb ffael,
Ond Mair gyda'i phlentyn i'r Aifft aeth yn sydyn
  Lle methodd y gelyn ei gael.
Ca'dd bechgyn bach Jwda eu lladd yn g'lanedda'
  Wrth geisio cael difa Mab Duw;
Er cymaint o'r bechgyn a laddodd y brenin
  Mae Crist gyda'i fyddin yn fyw.

Nac ofnwch, blant Seion, fe welir duwiolion
  A'u gynau'n dra gwynion i gyd,
Yn lân wedi'u cannu yng ngwerthfawr waed Iesu,
  Er maint fydd i'w baeddu'n y byd;
Yn rhyddion o'u cystudd yn canmol eu Harglwydd,
  Yn cario hardd balmwydd bob un
Mewn teyrnas uwch daear, fel haul yn dra hawddgar,
  Heb garchar, na galar, na gwŷn;
A'r bachgen bach Iesu fydd testun y canu,
  Fu'n gwaedu i'n prynu ar y pren;
Yn ffyddlon gantorion o nifer plant Seion
  Bôm ninnau'r un moddion. Amen.

JOHN RICHARDS ('Siôn Ebrill'; 1745-1836)

TEG WAWRIODD BOREDDYDD

Yn Ewrop baganaidd gynt yr oedd canol gaeaf yn gyfnod llawn defodau ffrwythlondeb i geisio sicrhau deffro newydd ym myd natur. Dyma hefyd gyfnod dathlu cyrraedd pen eithaf y tywyllwch gaeafol a dechrau blwyddyn newydd. Roedd yn gyfnod o roi anrhegion, o wledda ac o rialtwch, gyda lle amlwg i oleuadau a thanau a phlanhigion bythol-wyrdd, er amddiffyn rhag ysbrydion drwg ac er hybu ad-fywiad yr haul a pharhad bywyd.

Wrth wynebu arferion paganaidd o'r fath, roedd rhai Cristnogion am eu dileu. Ond ymateb ystwythach a gafwyd yn gyffredinol. Ymosodwyd yn llym ar yr agweddau hynny nad oedd unrhyw fodd cyd-fyw â hwy — megis aberthau dynol, er enghraifft. Ond goddefwyd eraill, a cheisio eu tymheru a'u diwygio a'u llenwi ag ystyr Gristnogol.

Enghraifft ardderchog o hyn yw dyddiad y Nadolig ei hun. Mae addoli'r haul fel ffynhonnell a chynhaliwr bywyd yn elfen amlwg mewn crefyddau paganaidd, ac yr oedd cyfnod y Nadolig a'r flwyddyn newydd yn adeg hollbwysig i'r addol-

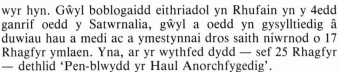

wyr hyn. Gŵyl boblogaidd eithriadol yn Rhufain yn y 4edd ganrif oedd y Satwrnalia, gŵyl a oedd yn gysylltiedig â duwiau hau a medi ac a ymestynnai dros saith niwrnod o 17 Rhagfyr ymlaen. Yna, ar yr wythfed dydd — sef 25 Rhagfyr — dethlid 'Pen-blwydd yr Haul Anorchfygedig'.

Ni allai Cristnogion yr Ymerodraeth ymuno â dathliadau o'r fath, wrth reswm. Peth creedig oedd yr haul iddynt hwy, nid rhywbeth dwyfol — yn union fel ag i Robert Roberts, y gweinidog gyda'r Methodistiaid Calfinaidd o Dan-y-clawdd, Rhosllannerchrugog, yn ei garol isod. Ond yr hyn a wnaethant oedd cymryd 'Pen-blwydd yr Haul Anorch-fygedig' a'i fabwysiadu fel gŵyl i goffáu geni eu Brenin anorchfygol, Iesu. Ac ar adeg dathlu atgyfodi'r haul a pharhad bywyd trwy'r byd paganaidd, dyma hwy yn dathlu geni Haul Cyfiawnder a Goleuni'r Byd (Malachi 4:2; Luc 1:78-79), yr Un a fu farw ac a atgyfododd, ac sy'n cynnig bywyd tragwyddol i bawb a gredo ynddo.

Teg wawriodd boreddydd, na welwyd ei ail
Er cread y byd na thywyniad yr haul:
Boregwaith a gofir yn gynnes ar gân,
Pan fo haul yn duo a daear ar dân.

Y testun llawenaf i'n moliant ysydd,
Fe aned in Geidwad, do, gwawriodd y dydd:
Yn Fachgen i deimlo dros frodyr dan faich,
Yn Fab i'n gwaredu, un cadarn ei fraich.

Edrychwn o'n hamgylch, pwy greodd y rhain —
Haul, lloer, sêr, a daear, sy'n gwenu mor gain?
Chwyrnellant trwy'r gwagle yng nghrog wrth ei Air,
Ac yntau yn pwyso ar fynwes fwyn Mair.

Pan ddaeth o'r uchelder, a'i eni o wraig,
Cyffroai gynddaredd ddigofus y ddraig;
A rhuthro ar ruthro fu arno o hyd,
A'r gelyn yn cilio yn glwyfau i gyd.

Ond engyl fu'n canu pan ddaeth Ef i lawr,
A chanu wnawn ninnau i'w Enw yn awr:
Gorchfygodd ein Harglwydd, fe'i molwn am hyn,
Fe brynodd ein bywyd ar Galfari fryn.

ROBERT ROBERTS, RHOS (1774-1849), *n.*

TUA BETHLEM DREF

Er pob dyfalu, ac er yr holl chwedlau a dyfodd o'u cwmpas, ni wyddom ddim am y doethion a ddaeth at y baban Iesu ar wahân i'r hyn a gofnodir amdanynt yn Efengyl Mathew. Ni wyddom, felly, o ble y daethant, na phryd, na sawl un oedd yn y cwmni, na ble yn hollol oedd y baban Iesu ar y pryd. Ond gallwn ddweud tri pheth amdanynt o leiaf. Cenedl-ddynion oeddynt, nid Iddewon; dynion dysgedig oeddynt, yn astudio'r sêr; ac, a barnu o'u rhoddion, yr oeddynt yn ddynion o fodd. Yn y tri pheth hyn maent yn drawiadol o wahanol i'r ymwelwyr eraill, y bugeiliaid — Iddewon digon tlawd a di-ddysg. Yr unig beth sy'n gyffredin rhyngddynt yw bod y naill fintai fel y llall wedi cael cyfarwyddyd nefol i'w harwain i'r fan — gan yr angylion yn achos y bugeiliaid a chan y seren yn achos y doethion. Wrth drefnu i ymwelwyr mor wahanol i'w gilydd ddod at ei Fab, mae Duw fel petai yn dweud fod disgwyl a chroeso i bawb o bob math ddod ato.

Wedi syrthio i lawr a'i addoli, mae'r doethion yn cyflwyno i'r Iesu eu hanrhegion. Dyddiad eu gŵyl yn y calendr eglwysig yw'r Ystwyll (6 Ionawr), ac mewn rhai gwledydd hwnnw yn hytrach na dydd Nadolig yw adeg rhoi anrhegion. Tri thrysor sydd ganddynt i'r baban — aur am ei fod yn Frenin, thus am ei fod yn Dduw, a myrr am ei fod yn ddyn ac yn mynd i ddioddef marwolaeth.

Ffrwyth cydweithio rhwng Wil Ifan a'r cerddor David Evans yw 'Tua Bethlem dref', ac fe'i cyhoeddwyd yn *Y Cerddor* yn 1919. O gau eich llygaid, wrth glywed sigl hudolus alaw David Evans gallech daeru eich bod yn yr anialwch yn gweld y doethion yn ymlwybro'n araf ar eu camelod. Ond mae geiriau Wil Ifan yn lledu'r darlun. Nid y doethion yn unig sy'n mynd. Mae'r llwythau'n mynd ato, a ninnau'n cael ein hannog i fynd gyda hwy (Salm 122). A awn ni, tybed, i'w gydnabod yn Frenin ar ein bywydau ac yn Dduw-ddyn a fu farw drosom?

Tua Bethlem dref,
Awn yn fintai gref,
Ac addolwn Ef.
Gyda'r llwythau
Unwn ninnau
Ar y llwybrau
  At y crud.
Tua'r preseb awn
Gyda chalon lawn
A phenlinio wnawn.

I fachgennyn Mair,
Y Tragwyddol Air,
Yn y gwellt a'r gwair.
Dygwn roddion:
Serch y galon,
Aur anrhegion,
  Thus a myrr.
Tua Bethlem dref
Awn yn fintai gref,
Ac addolwn Ef.

WILLIAM EVANS ('Wil Ifan'; 1883-1968)

O! DEUED POB CRISTION

Un o'r teitlau hyfrytaf ar y Gwaredwr yw 'Tywysog tangnefedd'. Ond rhaid cofio nad dod i ddwyn heddwch cyffredinol rhwng dyn a dyn oedd diben ei ddyfodiad i'r byd. Nid dyna ystyr 'tangnefedd ar y ddaear' yr angylion yn Luc 2. Ac nid dyna amcan Crist ei hun ychwaith. Creu rhaniadau a wnâi ei ddyfodiad Ef, meddai (Luc 12:51), ac ni ragwelai unrhyw derfyn ar ryfela hyd ei ailddyfodiad (Luc 21:9).

Na, nid dod i ddwyn heddwch cyffredinol i gymdeithas a wnaeth Crist, ond dod i ddwyn unigolion i berthynas heddychlon â Duw. Dod i symud 'ein penyd a'n pwn' a wnaeth, a throi gelynion i Dduw yn feibion iddo, a thrwy hynny yn frodyr i'w gilydd. Carol am heddwch â Duw a'i ganlyniadau yw hon, felly. A phen draw heddwch y 'cyfamod tragwyddol' fydd gweld meibion Duw — 'pob Cristion', 'o bob llwyth, ac iaith, a phobl, a chenedl' — yn cydrodio yn heddwch y ddaear newydd (Eseia 2:2-4; 2 Pedr 3:13; Datguddiad 21).

Seiliwyd y garol ar bennill amrwd o garol blygain a gofnodwyd gan y casglwr caneuon-gwerin diwyd, y Fonesig Herbert Lewis, Penucha, mewn bwthyn yng Nghaerwys yn 1910.

> O! deued pob Cristion i Fethlem yr awron
> I weled mor dirion yw'n Duw;
> O! ddyfnder rhyfeddod! fe drefnodd y Duwdod
> Dragwyddol gyfamod i fyw!
> Daeth Brenin yr hollfyd i oedfa ein hadfyd
> Er symud ein penyd a'n pwn;
> Heb le yn y llety, heb aelwyd, heb wely —
> Nadolig fel hynny gadd hwn!
>
> *Rhown glod i'r Mab bychan ar liniau Mair wiwlan —*
> *Daeth Duwdod mewn baban i'n byd!*
> *Ei ras, O! derbyniwn; ei haeddiant cyhoeddwn,*
> *A throsto Ef gweithiwn i gyd.*
>
> Tywysog tangnefedd wna'n daear o'r diwedd
> Yn aelwyd gyfannedd i fyw;
> Ni fegir cenfigen, na chynnwrf, na chynnen —
> Dan goron bydd diben ein Duw.
> Yn frodyr i'n gilydd, drigolion y gwledydd,
> Cawn rodio yn hafddydd y nef;
> Ein disgwyl yn Salem, i ganu yr anthem
> Ddechreuwyd ym Methlem, mae Ef.

seiliedig ar
HEN GAROL BLYGAIN

Y BORE HWN, TRWY BURAF HEDD

Peth cwbl nodweddiadol o fywyd yr Arglwydd Iesu yw ei eni mewn stabl, 'yn dlawd ei le'. Dyma'r Un na ellid fforddio ond yr aberth dlotaf posibl ar ei ran wrth ei gyflwyno'n faban yn y Deml (Lefiticus 12; Luc 2:24). Dyma'r Un a allai ddweud fod 'gan y llwynogod ffeuau, a chan adar yr awyr nythod; ond gan Fab y dyn nid oes lle y rhoddo ei ben i lawr' (Luc 9:58). Dyma'r Un a orweddodd mewn bedd benthyg. Peth cwbl nodweddiadol o'i weinidogaeth, wedyn, oedd i'w eni gael ei gyhoeddi gyntaf wrth 'fugeiliaid isel-fri'. Dod i gyhoeddi newyddion da i dlodion a wnaeth (Luc 4:18) — nid tlodion eu pocedi yn unig, wrth gwrs, ond pawb sy'n dlawd 'yn yr ysbryd' (Mathew 5:3). Ac o ddod at 'yr Iesu hael' mewn ffydd ac edifeirwch, nid tlodi sy'n aros y cyfryw ond teyrnas.

Y bore hwn, trwy buraf hedd,
  Gwir sain gorfoledd sydd
Ymhlith bugeiliaid isel-fri,
  Cyn iddi dorri'r dydd.

Gwrandawed pob pechadur gwan,
  Sy'n plygu dan ei bla,
Angylion nef, â'u llef yn llon,
  Yn dwyn newyddion da.

I Fethlem Jwda, dyma'r dydd
  Daeth newydd da o'r ne';
Duw ymddangosodd yn y cnawd,
  Ein Brawd, yn dlawd ei le.

Mewn preseb ych, a'i ddrych yn wael,
  Yr Iesu hael a roed,
'R hwn oedd yn Llywydd nef a llawr,
  Ac Arglwydd mawr erioed.

O! wele'r Bod sy'n dal y byd,
  Yn fud ar lin ei fam!
Newydd ei eni'n nawdd i ddyn,
  Yn hŷn nag Abraham.

Rhyfeddwn byth, tra byddwn fyw,
  Ddaioni Duw i ddyn;
Yr Iesu'n aberth roed i ni,
  Trwy nodded Tri yn Un.

JOHN THOMAS, PENTREFOELAS (1742-1818), *n.*

RHYFEDD, RHYFEDD GAN ANGYLION

Mae plwyf Ann Griffiths, Llanfihangel-yng-Ngwynfa, yng nghanol gwlad y carolau plygain. Un o'r plwyf hwnnw, a chyfoeswr i Ann, oedd Thomas Williams ('Eos Gwynfa'; c. 1767-1848), un o'n carolwyr mwyaf cynhyrchiol. Cynhelir plygain yn Eglwys Llanfihangel o hyd, ar yr ail nos Sul yn y flwyddyn newydd erbyn hyn. Dyma'r 'Blygien Fawr', fel y'i gelwir. Hi sy'n cloi tymor y plygeiniau, a cheir tyrru iddi o bob cyfeiriad.

Cafodd teulu Dolwar eu magu yn sŵn y carolau plygain. Mae llawysgrif drwchus o farddoniaeth wedi'i chadw hyd heddiw a fu'n eiddo i athro barddol y teulu, Harri Parri o Graig-y-gath. Ynddi, ymhlith pethau eraill ceir nifer o gerddi o waith Huw Morys, Pontymeibion, yr enwocaf o garolwyr yr 17eg ganrif, a cheir ynddi hefyd garolau plygain o waith Harri Parri ei hun ac o waith clochydd Llanfihangel, Evan Williams. Daeth y llawysgrif i feddiant teulu Dolwar maes o law a cheir Ann Griffiths ei hun yn torri ei henw arni yn 1796, flwyddyn ei thröedigaeth.

Er iddi gefnu ar eglwys y plwyf a throi at y Methodistiaid, ni pheidiodd dylanwad y carolau plygain ar Ann gyda'i thröedigaeth ychwaith, a golygfa hyfryd yw honno o aelwyd Dolwar ar noson waith, gydag Ann yn nyddu â'r Beibl yn agored o'i blaen, a'r hen ŵr ei thad yn paratoi'r gwlân ar ei chyfer ac yn canu carolau ac emynau tra wrth ei waith.

Cyhoeddwn yma gerdd hwyaf Ann Griffiths. Cerdd ydyw, meddai Saunders Lewis, sy'n 'crynhoi ei holl themâu a'i pharadocsiau hi', ac fe'i geilw yn 'un o gerddi mawreddog barddoniaeth grefyddol Ewrop'. Er ei bod yn cychwyn gyda'r Geni, emyn ydyw yn hytrach na charol. Mathau ar ganu crefyddol cynulleidfaol yw'r emyn a'r garol ill dau, wrth gwrs, a gall y ffin rhyngddynt fod yn denau iawn ar brydiau; ond gellir dweud yn gyffredinol mai cân i'r gymdeithas grediniol yw'r garol, tra bod yr emyn yn fynegiant o brofiad yr enaid unigol. Dathlu llawen, ysgafn yw cywair y garol; moli myfyrgar a gweddigar yw cywair yr emyn. Annerch Duw neu'r enaid a wna'r emyn; annerch cynulleidfa a wna'r garol, adrodd stori wrthi ac, yn achos y carolau plygain o leiaf, pregethu ac addysgu ac annog yn ogystal.

Ond wedi dweud hynny, mae agweddau ar emyn Ann sy'n ein hatgoffa o'r garol blygain. Mae afreoleidd-dra sillafau llinellau'r emyn yn perthyn yn nes at fydryddu ystwythach canu baledol a charolaidd poblogaidd ei dydd nag ydyw at reoleidd-dra mydryddol yr emyn-dôn. Mae nodwedd 'holl-gynhwysfawr' y carolau plygain yn perthyn i'r emyn hwn hefyd. Fel hwy, nid yw'n aros gyda'r Geni ond yn olrhain holl hanes yr iachawdwriaeth yng Nghrist.

Er nad yw'r carolau plygain fel arfer yn aros yn hir gyda'r Geni, maent wrth reswm yn rhoi peth sylw iddo. Yr elfen amlwg yn eu triniaeth ohono yw rhyfeddu at yr Ymgnawd-oliad a phwysleisio'r paradocsau sydd ynghlwm wrth y ffaith fod Duwdod wedi dod mewn baban i'r byd. 'Rhyfeddod pob rhyfeddod, ail Berson mawr y Drindod yn dod i'r ddaear isod yn wir ddyn,' meddai Eos Gwynfa; ac mewn carol yn y llawysgrif a fu ym meddiant teulu Dolwar, dywed clochydd Llanfihangel am Fair, ei bod yn 'dal ei Harglwydd a'i Llywydd mwyn llon, ei hannwyl Dad a'i phlentyn a'i Brenin ar ei bron'. Ceir enghreifftiau lu o wrthgyferbynnu o'r fath yn y carolau plygain, ac fe'i ceir hefyd yn emyn Ann.

Mewn gwirionedd, mae'r emyn yn llawn paradocsau o bob math — rhai yn amlwg, eraill yn fwy cynnil. Dyma, yn wir, un o nodweddion amlycaf gwaith Ann drwyddo draw. Mae'r elfen o baradocs yn waelodol, wrth gwrs, i ddwy thema fawr ei gwaith, sef Person Crist a'i hiraeth hi, bechadur meidrol, am sancteiddrwydd ac am y nef. Ond tybed hefyd na hybwyd defnydd Ann o baradocsau yn ei gwaith gan ei chynefindra â'r carolau plygain?

> Rhyfedd, rhyfedd gan angylion,
>   Rhyfeddod fawr yng ngolwg ffydd,
> Gweld Rhoddwr bod, Cynhaliwr helaeth,
>   A Rheolwr pob peth sydd,
> Yn y preseb mewn cadachau,
>   A heb le i roi'i ben i lawr,
> Ac eto disglair lu'r gogoniant
>   'N ei addoli'n Arglwydd mawr.
>
> Pan fo Seinai i gyd yn mygu,
>   A sŵn yr utgorn ucha'i radd,
> Caf fynd i wledda tros y terfyn
>   Yng Nghrist y Gair, heb gael fy lladd;
> Mae yno'n trigo bob cyflawnder,
>   Llond gwagle colledigaeth dyn,
> Ar yr adwy rhwng y ddwyblaid
>   Gwnaeth gymod trwy'i offrymu'i hun.

Efe yw'r Iawn fu rhwng y lladron,
  Efe ddioddefodd angau loes,
Efe a nerthodd freichiau'i ddienyddwyr,
  I'w hoelio yno ar y groes;
Wrth dalu dyled pentewynion,
  Ac anrhydeddu deddf ei Dad,
Cyfiawnder, mae'n disgleirio'n danbaid
  Wrth faddau yn nhrefn y cymod rhad.

O! f'enaid, gwêl y fan gorweddodd
  Pen brenhinoedd, Awdur hedd;
Y greadigaeth ynddo'n symud,
  Yntau'n farw yn y bedd;
Cân a bywyd colledigion,
  Rhyfeddod fwya' angylion nef;
Gweld Duw mewn cnawd a'i gydaddoli
  Mae'r côr, dan weiddi 'Iddo Ef!'

Diolch byth, a chanmil diolch,
  Diolch tra bo ynw'i chwyth
Am fod gwrthrych i'w addoli,
  A thestun cân i bara byth;
Yn fy natur wedi'i demtio,
  Fel y gwaela' o ddynol-ryw;
Yn ddyn bach, yn wan, yn ddinerth,
  Yn anfeidrol wir a bywiol Dduw.

Yn lle cario corff o lygredd,
  Cyd-dreiddio â'r côr yn danllyd fry
I ddiderfyn ryfeddodau
  Iechydwriaeth Calfari;
Byw i weld yr Anweledig,
  Fu farw ac sy'n awr yn fyw;
Tragwyddol anwahanol undeb
  A chymundeb â fy Nuw.

Yno caf ddyrchafu'r Enw
  A osododd Duw yn Iawn,
Heb ddychymyg, llen na gorchudd,
  A'm henaid ar ei ddelw'n llawn;
Yng nghymdeithas y dirgelwch,
  Datguddiedig yn ei glwy',
Cusanu'r Mab i dragwyddoldeb
  Heb im gefnu arno mwy.

ANN GRIFFITHS (1776-1805)

DRAW YN NHAWELWCH
BETHLEM DREF

Er y cyfnod cyn-Gristnogol, bu tymor y Nadolig yn adeg i grwydro'r gymdogaeth i ddymuno iechyd a llwyddiant. Mae'n adeg hefyd o grwydro o ddrws i ddrws i ganu carolau. Ein darlun traddodiadol o'r carolwyr crwydrol hyn yw cwmni bychan ar noson aeafol wedi'u lapio'n gynnes ac yn ymgasglu o gwmpas lantern. Ond mewn llawer rhan o Ewrop, nid cario lantern a wna'r carolwyr, ond seren fawr i gynrychioli Seren Bethlehem, a gwisgant weithiau fel cymeriadau o hanes y Geni.

Ein hannog i ganu carolau a wna John Hughes yn y garol dlos hon, a hynny am y rheswm gorau posibl. Un o Rosllannerchrugog ydoedd, a daeth (fel ei frawd Arwel) yn ffigur amlwg yn ein bywyd cerddorol. Cyn iddo fynd yn drefnydd cerdd gydag Awdurdod Addysg Meirionnydd, bu am flynyddoedd yn organydd a chôr-feistr Noddfa, eglwys y Bedyddwyr yn Nhreorci, a ffrwyth y cyfnod hwnnw yw ei emyndonau adnabyddus *Maelor* ac *Arwelfa*. Bu'n un o olygyddion *Llyfr Gweddi a Mawl i Ysgolion* (1958), ac ynddo ceir y garol isod o'i waith, wedi'i gosod ar drefniant ganddo o hen alaw Ffrengig.

> Draw yn nhawelwch Bethlem dref
> Daeth baban bach yn Geidwad byd;
> Doethion a ddaeth i'w weled Ef,
> A chanodd angylion uwch ei grud:
> Draw yn nhawelwch Bethlem dref
> Daeth baban bach yn Geidwad byd.
>
> Draw yn nhawelwch Bethlem dref
> Nid oedd un lle i Geidwad byd;
> Llety'r anifail gafodd Ef
> Am nad oedd i'r baban lety clyd:
> Draw yn nhawelwch Bethlem dref
> Nid oedd un lle i Geidwad byd.
>
> Draw yn nhawelwch Bethlem dref
> Fe anwyd Crist yn Geidwad byd;
> Canwn garolau iddo Ef,
> A molwn ei gariad mawr o hyd:
> Draw yn nhawelwch Bethlem dref
> Fe anwyd Crist yn Geidwad byd.

JOHN HUGHES, DOLGELLAU (1896-1968)

SI LWLI LW

Roedd Sabine Baring-Gould yn gymeriad mor anghyffredin â'i enw! Meddai ar ddiddordebau eang ac egni di-ben-draw. Cyhoeddodd dros 150 o lyfrau, gan gynnwys casgliadau arloesol o ganeuon gwerin, a phedair cyfrol o *The Lives of the British Saints* (ar y cyd â'r ysgolhaig Cymraeg, John Fisher). Ysgrifennodd ei emyn enwocaf, 'Onward, Christian soldiers', ar gyfer gorymdaith ysgol Sul ar y Llungwyn yn 1864, pan oedd yn gurad yn swydd Efrog.

Gweithiodd yn frwd i hyrwyddo canu carolau yng ngwasanaethau Eglwys Loegr, ac ef a gyflwynodd i'r Saesneg nifer o garolau'r Basgiaid, y genedl honno sy'n byw o bobtu i'r ffin rhwng Ffrainc a Sbaen. Lluniodd ei garol 'Sing lullaby' ar dôn un o garolau'r Basgiaid. Mae'n garol hwiangerddol — math dieithr o garol i'r Gymraeg tan yn bur ddiweddar, ond yn ddigon cyffredin mewn llawer gwlad arall. Lluniwyd y cyfieithiad Cymraeg gan Elwyn Evans, mab Wil Ifan, ar gais y diweddar Alun Davies, un o olygyddion *Caniedydd yr Ifanc* (1980), ac fe'i gwelir yn y casgliad hwnnw wedi'i briodi â threfniant Alun Davies o'r hen dôn Basgaidd.

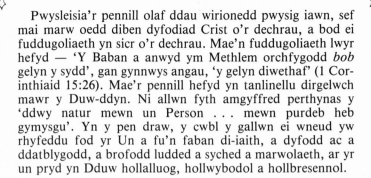

Pwysleisia'r pennill olaf ddau wirionedd pwysig iawn, sef mai marw oedd diben dyfodiad Crist o'r dechrau, a bod ei fuddugoliaeth yn sicr o'r dechrau. Mae'n fuddugoliaeth lwyr hefyd — 'Y Baban a anwyd ym Methlem orchfygodd *bob* gelyn y sydd', gan gynnwys angau, 'y gelyn diwethaf' (1 Corinthiaid 15:26). Mae'r pennill hefyd yn tanlinellu dirgelwch mawr y Duw-ddyn. Ni allwn fyth amgyffred perthynas y 'ddwy natur mewn un Person . . . mewn purdeb heb gymysgu'. Yn y pen draw, y cwbl y gallwn ei wneud yw rhyfeddu fod yr Un a fu'n faban di-iaith, a dyfodd ac a ddatblygodd, a brofodd ludded a syched a marwolaeth, ar yr un pryd yn Dduw hollalluog, hollwybodol a hollbresennol.

Si lwli lw,
Si lwli faban sydd yn gorwedd
Si lwli lw;
Ust, na ddeffrowch y baban tlws,
Sêr ac angylion sydd yn gwylio
Uwchben y fan lle mae'n gorffwyso,
Si lwli lw.

Si lwli lw,
Si lwli faban sydd yn huno
Si lwli lw;
Ust, na ddeffrowch y baban mad,
Buan daw tristwch a gofidiau
Ac i'r fam dirion, greulonderau;
Si lwli lw.

Si lwli lw,
Si lwli faban sydd yn hepian
Si lwli lw;
Ust, na ddeffrowch y baban glân,
Buan daw'r groes a'r hoelion garw
A thywyll fedd yr Iesu marw,
Si lwli lw.

Si lwli lw,
Si lwli faban, a yw'n deffro?
Si lwli lw;
Ust, na ddeffrowch y baban gwyn,
Sydd am ei Basg yn pêr freuddwydio —
Y dydd y trechir angau ganddo;
Si lwli lw.

SABINE BARING-GOULD (1834-1924)
cyf. ELWYN EVANS (g. 1912)

EMYNAU LLAFAR GWLAD

Dechreuodd diwygiad grymus yn Aberystwyth yn 1804, ac ymestynnodd ei effeithiau dros ardal o tua 50 milltir. Aeth Thomas Charles i sasiwn yn Aberystwyth yr adeg honno, gydag o leiaf 20,000 yn bresennol ynddi, a gallai ddweud fel hyn am ei daith yno: 'Wrth deithio ar hyd y ffyrdd, roedd yn hyfryd clywed yr aradrwr a gyrrwr y wedd yn canu emynau wrth eu gwaith. Nid oedd dim arall i'w glywed yn yr holl barthau hynny.'

Yn sgîl diwygiadau fel hyn trysorwyd penillion lawer ar gof gwerin gwlad. Fe'u lediwyd ganddynt mewn cwrdd gweddi a'u dyblu a'u treblu ar ddiwedd oedfa bregethu, a buont yn gysur mawr iddynt mewn cystudd ac ar wely angau. Yn ail hanner y 19eg ganrif dechreuwyd cyhoeddi casgliadau o benillion a oedd yn boblogaidd ar lafar gwlad. Mae'r penillion yn ddienw yn y casgliadau hyn, ond mae modd dod o hyd i awduraeth nifer ohonynt neu eu holrhain i gasgliadau cynnar o emynau. Dyma ddetholiad o rai o'r penillion hyn ar thema'r Ymgnawdoliad.

> Ymhlith holl ryfeddodau'r nef,
> Hwn yw y mwyaf un —
> Gweld yr anfeidrol ddwyfol Fod
> Yn gwisgo natur dyn.

William Williams, Pantycelyn (1717-91)

> Rhyfeddod welodd Moses —
> Y berth yn llosgi'n dân,
> Yn para heb ei difa,
> Yn tyfu fel o'r blaen.
> Mwy rhyfedd gweled Iesu,
> Preswylydd mawr y berth,
> Yn faban yn y preseb,
> Heb arian a heb werth.

Anhysbys: yn Titus Lewis, *Mawl i'r Oen a Laddwyd* (1802)

> Rhyfeddod pob rhyfeddod yw,
> Fod Iesu'n ddyn, ac yn wir Dduw.
> Ar liniau Mair yn faban gwan,
> Yn Dduw presennol ym mhob man.

Anhysbys: yn *Casgliad o Hymnau* (1806)

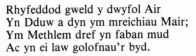

Rhyfeddod gweld y dwyfol Air
Yn Dduw a dyn ym mreichiau Mair;
Ym Methlem dref yn faban mud
Ac yn ei law golofnau'r byd.

John Evans, Treforys (*fl. c.* 1825)

Wel, dyma'r Ceidwad mawr
   A ddaeth i lawr o'r nef
I achub gwaelaidd lwch y llawr;
   Gogoniant iddo Ef!
Bu farw yn ein lle
   Ni, bechaduriaid gwael;
Mae pob cyflawnder ynddo Fe
   Sydd arnom eisiau'i gael.

John Thomas, Rhaeadr Gwy (1730-1804?)

   Tair, tair
Arglwyddes feichiog dda eu gair —
Arfaeth, Addewid, hefyd Mair;
   Eu tymp i esgor ddaeth 'run awr;
Un Mab a anwyd, tair gwraig rydd;
   Mae'n rhaid y bydd yn Rhywun mawr!

John Davies, Bethlehem, Sanclêr (1780-1814)

O Arglwydd, dysg im chwilio
   I wirioneddau'r Gair,
Nes dod o hyd i'r Ceidwad
   Fu gynt ar liniau Mair;
Mae Ef yn Dduw galluog,
   Yn gadarn i iacháu;
Er cymaint yw fy llygredd,
   Mae'n ffynnon i'm glanhau.

Anhysbys: yn *Casgliad o Hymnau* (1806)

Hosanna, Haleliwia,
   Fe anwyd Brawd i ni;
Fe dalodd ein holl ddyled,
   Ar fynydd Calfari;
Hosanna, Haleliwia,
   Brawd ffyddlon, diwahân;
Brawd erbyn dydd o g'ledi,
   Brawd yw mewn dŵr a thân.

Dafydd William, Llandeilo-fach (1720/21-94)

GANOL GAEAF NOETHLWM

Nid Nadolig yr eira a'r robin yw un y Wladfa. Yno, yn hemisffer deheuol y byd, ar ganol haf y daw'r Nadolig, a chael bwyd a chwareuon yn yr awyr agored yw'r drefn. Llongwr oedd S.B. Jones cyn mynd yn weinidog, ac mae'n siŵr i awdur pryddest boblogaidd 'Rownd yr Horn' brofi sawl Nadolig twym tra wrth ei alwedigaeth gyntaf. Ond y 'Nadolig gwyn' traddodiadol, darlun y garden Nadolig, a gawn ym mhennill cyntaf ei drosiad celfydd o rai o benillion y garol Saesneg hyfryd 'In the bleak mid-winter'.

Dyfodiad diweddar i blith dathliadau'r ŵyl yw'r garden Nadolig. Datblygodd yn Lloegr yn yr 1840au fel dyfais i rwyddhau'r arfer o ysgrifennu at gyfeillion a pherthnasau i gyflwyno iddynt gyfarchion y tymor. Dechreuasant fynd yn boblogaidd o tua 1870 ymlaen, yn sgîl costau postio ac argraffu rhatach, ac erbyn hyn anfonir miliynau lawer ohonynt o bob lliw a llun, gyda chyfartaledd uchel o'r rhai Cymraeg yn cael eu gwerthu er budd i achosion da.

Prin iawn oedd y cardiau Nadolig Cymraeg cyn y Rhyfel Byd Cyntaf, ac roedd anfon cardiau yn arfer dieithr i T. Llew Jones pan oedd yntau'n grwt yn Nyffryn Teifi yn y blynyddoedd wedi'r rhyfel hwnnw. Ond sonia ef fel y daeth yn ffasiwn ymhlith beirdd enwog y Cilie yng ngodre Ceredigion anfon englynion i gyfarch ei gilydd adeg y Nadolig. Un o deulu'r Cilie oedd S.B. Jones, wrth gwrs, ac ni bu neb yn fwy cyson nag ef yn llunio englynion o'r fath.

Ganol gaeaf noethlwm
    Cwynai'r rhewynt oer,
Ffridd a ffrwd mewn cloeon
    Llonydd dan y lloer.
Eira'n drwm o fryn i dref,
    Eira ar dwyn a dôl,
Ganol gaeaf noethlwm
    Oes bell yn ôl.

Metha nef a daear
    Gynnwys ein Duw;
Ciliant hwy a darfod
    Pan fydd Ef yn Llyw.
Ganol gaeaf noethlwm
    Digon feudy trist
I'r Arglwydd Hollalluog
    Iesu Grist.

Beth a roddaf iddo,
    Llwm a thlawd fy myd?
Petawn fugail, rhoddwn
    Orau'r praidd i gyd;
Pe bawn un o'r doethion,
    Gwnawn fy rhan ddi-goll;
Ond pa beth a roddaf?
    Fy mywyd oll.

CHRISTINA GEORGINA ROSSETTI (1830-94)
cyf. SIMON B. JONES (1894-1964)

YR EIDDEW A'R GELYNNEN

Enghraifft dda o Gristioneiddio hen arferion canol gaeaf yw'r garol swynol 'The holly and the ivy'. Cofnodwyd y fersiwn mwyaf adnabyddus ohoni gan y casglwr caneuon-gwerin Cecil Sharp (1859-1924) yn swydd Gaerloyw a Gwlad yr Haf, a dyna'r fersiwn a gyfieithwyd ar gyfer y gyfrol hon. Gellir ei holrhain yn ôl mewn rhyw ffurf arni i'r 17eg, ond mae ynddi elfennau hynafol iawn.

Mae'r arfer o addurno tai ar ganol gaeaf â phlanhigion bytholwyrdd yn ymestyn yn ôl i'r cyfnod cyn-Gristnogol. Roedd yn rhan o ddefodaeth baganaidd yn gysylltiedig â ffrwythlonedd a pharhad bywyd, ac roedd bri arbennig ar blanhigion megis y gelynnen a gariai aeron yn llymder eithaf y gaeaf. Maes o law caniatawyd addurno eglwysi â phlanhigion bytholwyrdd, a'u gwisgo â symbolaeth Gristnogol, sef i arwyddo'r bywyd tragwyddol sydd yng Nghrist. Ac, fel y gwelir o'r garol isod, daeth y gelynnen hithau, a'i haeron coch, yn symbol o Grist a'i farw.

Ceir dosbarth o hen gerddi Saesneg sy'n portreadu ymryson am oruchafiaeth rhwng yr eiddew (= y fenyw) a'r gelynnen (= y gwryw). Mae'r garol isod wedi'i phatrymu ar gân ymryson o'r fath. Ar sail y pennill cyntaf, byddech yn disgwyl i ail gwpled pob pennill sôn am yr eiddew. Ond y mae wedi'i disodli gan Fair, a'r ymryson wedi peidio.

Yr eiddew a'r gelynnen,
  Pan ddeuant i'w llawn oed,
Y gelynnen yw y pennaf un
O'r holl brennau yn y coed.

Haul ar wlith y bore,
A cheirw ar y twyn;
Soniarus sain yr organ llon,
Y côr yn canu'n fwyn.

Daw o'r gelynnen flodyn
  Mor wyn â'r lili dlos,
Ac o'r Forwyn Fair daeth Iesu Grist
  A marw ar y groes.

Daw o'r gelynnen aeron
  Mor goch â'r gwaed eu lliw,
Ac o'r Forwyn Fair daeth Iesu Grist;
  Ein Ceidwad annwyl yw.

Daw o'r gelynnen bigau,
  Â phigau'r draen mor llym,
Ac o'r Forwyn Fair daeth Iesu Grist
  Ar ddydd Nadolig gwyn.

Daw o'r gelynnen risgl
  Â'i sudd o chwerw flas,
Ac o'r Forwyn Fair daeth Iesu Grist
  I'n prynu oll o'i ras.

CAROL SAESNEG DRADDODIADOL
cyf. EDMUND T. OWEN (g. 1935)

O! DAWEL DDINAS BETHLEHEM

Arfer Nadoligaidd o'r cyfandir sy'n mynd yn boblogaidd iawn ymhlith Anglicaniaid Prydain y dyddiau hyn yw cynnal gwasanaethau Cristingl. Ynddynt cyflwynir i bawb oren wedi'i haddurno â ffrwythau a melysion yn dynodi'r ddaear a'i chynnyrch, gyda ruban coch o'i chwmpas yn cynrychioli gwaed Crist, a channwyll ar ei phen i arwyddo dyfodiad 'Goleuni'r Byd' (Ioan 1:1-14). Arferiad wedi'i fenthyca oddi wrth yr Eglwys Forafaidd ydyw — ac yn edrych yn od o debyg i fersiwn Cristnogol ar yr hen arfer yng Nghymru o addurno ffrwythau adeg hel calennig.

Carol am 'Oleuni'r Byd' (Ioan 8:12) a'r 'Bugail Da' (Ioan 10:11) yw un Ben Davies. Brodor o Gwmllynfell ydoedd, ac yn fachgen ifanc bugeiliai ddefaid y teulu ar y Mynydd Du. Ond daeth amser pryd y bu'n fwy cyfarwydd â'r sêr na'r haul, gan iddo orfod mynd yn 12 oed i weithio i'r pwll glo am tua 12 awr y dydd. 'Ym mis Medi yr euthum dan y ddaear i ddechrau,' meddai, 'a threuliais o'r adeg honno hyd y Nadolig heb weled golau'r dydd, ond yn unig ar nawn Sadwrn a'r Sul.' Tybed a oedd profiadau ei lencyndod yn ei feddwl wrth lunio'r garol dlos hon, ac yntau erbyn hynny yn weinidog gyda'r Annibynwyr? Ymddangosodd yn *Caniedydd Newydd yr Ysgol Sul* (1930), casgliad y bu Ben Davies yn un o'i olygyddion. Er nad yw'n gyfieithiad ohoni, fe'i hysbrydolwyd gan y garol 'O little town of Bethlehem', a gyhoeddwyd yn 1868 gan Phillips Brooks ar gyfer ei ysgol Sul yn Philadelphia, yn dilyn ymweliad ganddo â Bethlehem.

O! dawel ddinas Bethlehem
  O dan dy sêr di-ri',
Ac awel fwyn Jwdea'n dwyn
  Ei miwsig atat ti;
Daw heno seren newydd, dlos,
  I wenu uwch dy ben,
A chlywir cân angylion glân
  Yn llifo drwy y nen.

O! dawel ddinas Bethlehem,
  Bugeiliaid heno ddaw
Dros bant a bryn at breseb syn,
  Oddi ar y meysydd draw;
A chwilio wnânt am faban bach
  Sy'n dod yn Geidwad dyn,
Yn obaith byw i ddynol-ryw —
  Y Bugail Da ei hun.

O! dawel ddinas Bethlehem,
  Pwy heno ynot sydd?
Pa ddieithr wawr sy'n dod i lawr?
  Pa ryw dragwyddol ddydd?
Os cysgu'n dawel heno'r wyt,
  Daw Golau penna'r nef
I'r ogof laith i ddechrau'r daith —
  Gogoniant iddo Ef!

BEN DAVIES, PANT-TEG (1864-1937)

CYDGANED DYNOLIAETH

Bu bwyta yn rhan amlwg o ddathliadau'r Nadolig erioed. Yng nghyd-destun gwledd Nadolig yn llys yr Arglwydd Rhys yng nghastell Aberteifi yn 1176 y cynhaliwyd rhagflaenydd cynnar i'n heisteddfod gyfoes, ac ni fyddai'n Nadolig i laweroedd heddiw heb dwrci a mins peis, plwm pwdin a theisen Nadolig.

Yn nyddiau'r plygeiniau-cyn-dydd, arferai'r ieuenctid, yn enwedig, aros ar eu traed drwy'r nos ar noswyl Nadolig yn addurno'r tai, yn diddanu ei gilydd ac yn gweithio cyflaith. Ac yna, wedi'r plygain, âi pawb yn ôl i gael brecwast, gyda'r rhai pell eu taith yn aml yn cael gwahoddiad i fynd i frecwasta at rai yn byw yn ymyl eglwys y plwyf.

Bellach, yn ei chadarnleoedd yng ngogledd Maldwyn a'r cyffiniau, peidiodd y plygain â bod yn wasanaeth yn eglwys y plwyf ar fore'r Nadolig. Fe'i symudwyd i'r hwyr a'i gynnal unrhyw bryd rhwng tua chanol Rhagfyr a chanol Ionawr, ar noson waith yn ogystal â'r Sul, ac mewn capeli yn ogystal ag eglwysi. Cyrchir y plygeiniau o gylch eang, yn enwedig plygain Llanfihangel-yng-Ngwynfa.

Yn dilyn fersiwn talfyredig o'r Brynhawnol Weddi yn yr eglwysi, neu ddarlleniad a gweddi yn y capeli, cyhoeddir y plygain yn 'agored'. Wedi rhoi cyfle i'r plant, o un i un daw partïon ymlaen yn ddigymell i ganu carol. Wedi'r rownd cyntaf, daw'r un partïon eto yn yr un drefn unwaith neu ddwy, a phawb yn ofalus i beidio ag ailganu unrhyw garol na dwyn carol sy'n perthyn yn draddodiadol i barti arall. Dynion yw mwyafrif y carolwyr a'r canu fel arfer yn ddigyfeiliant. Gall y cwbl bara am ryw ddwy awr, gyda thuag ugain carol yn cael eu canu ar gyfartaledd. Yna, ar y diwedd, gwahoddir y carolwyr i neuadd neu dai cyfagos i gael swper.

Tua dechrau'r ganrif hon aeth yn arfer i Edward Watkin y clochydd gloi plygain Llanfihangel-yng-Ngwynfa trwy ganu 'Carol y Swper'. Lledodd yr arfer ac erbyn hyn mae'n gyff-redin i wrywod y partïon ddod ymlaen i gloi plygain trwy gydganu'r garol hon. Anhysbys yw ei hawduraeth, ond gellir ei holrhain yn ôl i ganol y 19eg ganrif o leiaf. Pennill 1, 4 a 10 o'r fersiwn a geir yma yw'r rhai a genir i gloi'r plygeiniau heddiw. Enw ar Israel mewn cyfnod o wrthgiliad oedd 'merch yr hen Amoriad' ym mhennill 8 (Eseciel 16:2-3), a chyfeirio at y wledd a ddarperir yn yr efengyl a wna'r pennill olaf, wrth gwrs (Luc 14:15-24; Eseia 25:6).

Cydganed dynoliaeth am ddydd gwaredigaeth,
　　Daeth trefen Rhagluniaeth i'r goleuni,
A chân 'Haleliwia!' o fawl i'r Gorucha',
　　Meseia Jwdea, heb dewi;
Moliannwn o lawenydd, gwir ydyw fod Gwaredydd,
Fe anwyd Ceidwad inni, sef Crist, y Brenin Iesu,
Cyn dydd, cyn dydd, ym Methlem yn ddi-gudd,
Y caed Gwaredydd ar foreuddydd; O! wele ddedwydd ddydd!

Caed Iesu mewn preseb, Duw, Tad tragwyddoldeb,
　　Yn ôl y ddihareb o'i herwydd;
Haul mawr y cyfiawnder ym myd y gorthrymder,
　　Yn faban bach tyner mewn tywydd;
Hwn Ydwyf yr Hwn Ydwyf, yn sugno bronnau'r wyryf,
Gwir Awdur pob rhyw anian tan adwyth hen ardd Eden,
Y Gair, y Gair, yn gnawd ar liniau Mair,
A chilwg Pharo yn gosod arno i'w buro yn y pair.

Fe anwyd ein Harglwydd o deilwng had Dafydd,
　　I ddioddef pob gw'radwydd, gwnawn gredu;
Bradychu'r Gwaed Gwirion gan un o'i ddisgyblion,
　　Sef Jwdas, ffals galon, heb gelu;
Pa reswm dal yr Iesu, pa achos ei fradychu,
Collfarnu Duw Jehofa wnaeth dynion gwael eu doniau;
Mab Duw, Mab Duw, dan ddirmyg dynol-ryw,
Mewn poen a dolur, Cynhaliwr natur pob rhyw greadur byw.

Ein Meichiau a'n Meddyg, dan fflangell Iddewig,
　　Ar agwedd un diddig yn dioddef,
A'i farnu gan Pilat, a'i wisgo mewn 'sgarlad,
　　Gan ddynion dideimlad, rhaid addef;
A phlethu draenen bigog yn goron anhrugarog,
A'i gosod mewn modd creulon ar ben Iachawdwr dynion;
Fel hyn, fel hyn, y gwasgwyd Iesu gwyn,
O dan arteithiau ein mawrion feiau i boenau pen y bryn.

Ei gymell mewn dirmyg i gario'r groes bwysig,
　　A'i gefn yn friwedig, O! fradwyr;
Rhoi Mab y Jehofa i ddirmyg Calfaria
　　Dan lwyth o bechodau pechadur;
A hoelio yng ngolau'r heulwen, Crist Iesu ar y croesbren,
A'i draed a'i ddwylo'n ddolur yn ymladd trosom frwydr,
A'r gwaed, a'r gwaed, wrth drengu, o'i ben a'i draed,
Fel megis afon, o dyllau'r hoelion yn ffrydiau cochion caed.

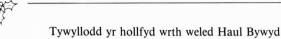

Tywyllodd yr hollfyd wrth weled Haul Bywyd
   Yn dioddef mewn tristyd ar drostan;
Tywysog y fagddu yn ceisio lle i lechu,
   A'r ddaear yn crynu — caer anian;
Roedd agwedd y creigiau fel 'styllod yn holltau,
A'r beddau yn agoryd a'r meirw yn cael bywyd;
Mawr fraw, mawr fraw, yn lluddias pawb gerllaw,
Y gwŷr fflangellau a'r milwyr yn troi wynebau draw.

   Nid marw wnaeth Seilo wrth gael ei groeshoelio,
     A mynd i dir ango' trwy ingoedd;
   Roedd ganddo Ef allu roi'i ysbryd i fyny,
     A'i gymryd wnai'r Iesu, ni rusodd.
Daeth Iesu, Craig yr Oesoedd, fel ufudd was o'r nefoedd,
Disgynnodd o'r uchelder i barthau isa'r ddaear;
Mewn bedd, mewn bedd, ni wywodd dim o'i wedd,
Ond atgyfodi ddarfu'r Iesu 'nôl claddu angau cledd.

   Er ymdrech rhaglawiaid, a gofal milwriaid,
     Er gwaetha'r holl geidwaid, fe gododd;
   Y maen wedi'i selio a gafodd ei dreiglo,
     A phawb oedd yn gwylio a giliodd;
Fe dalodd yr holl ddyled dros ferch yr hen Amoriad,
A chroesi y biliau, dileu'r ordinhadau;
O! byrth, O! byrth, dyrchefwch gyda gwyrth,
Mae'r Brenin Iesu'n dod i fyny — gwaith synnu byth ni syrth!

   Yr Aberth tragwyddol yn awr sydd yn eiriol,
     Trwy rinwedd gwaed dwyfol caed afon
   A darddodd yn dechrau o ochr ein Meichiau
     Ar fynydd Golgotha rhwng caethion.
Mae afon goch Calfaria yn cannu'r Ethiop dua'
Mor wyn â'r eira ar Eryri, heb frychni chwaith na chrych.
Trwy'r gwaed, trwy'r gwaed, digonol Iawn a gaed
I gadw'r heintus a'r gwahanglwyfus yn drefnus ar eu traed.

   Defnyddiwn ein breintiau, mae perygl o'n holau,
     Cyn delo dydd angau, dihangwn;
   Mae heddiw'n ddydd cymod, a'r swper yn barod,
     A'r bwrdd wedi'i osod; O! brysiwn.
Mae'r dwylo fu dan hoelion yn derbyn plant afradlon
I wlad y Ganaan nefol i wledda yn dragwyddol.
Amen, Amen. O! moliant byth, Amen.
Haleliwia i'r Meseia sy'n maddau byth, Amen.

HEN GAROL BLYGAIN

GYNT YM METHLEM, DINAS DAFYDD

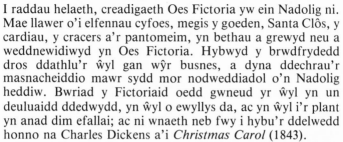

I raddau helaeth, creadigaeth Oes Fictoria yw ein Nadolig ni. Mae llawer o'i elfennau cyfoes, megis y goeden, Santa Clôs, y cardiau, y cracers a'r pantomeim, yn bethau a grewyd neu a weddnewidiwyd yn Oes Fictoria. Hybwyd y brwdfrydedd dros ddathlu'r ŵyl gan wŷr busnes, a dyna ddechrau'r masnacheiddio mawr sydd mor nodweddiadol o'n Nadolig heddiw. Bwriad y Fictoriaid oedd gwneud yr ŵyl yn un deuluaidd ddedwydd, yn ŵyl o ewyllys da, ac yn ŵyl i'r plant yn anad dim efallai; ac ni wnaeth neb fwy i hybu'r ddelwedd honno na Charles Dickens a'i *Christmas Carol* (1843).

Un o gyfoedion Dickens oedd yr Wyddeles, Mrs C.F. Alexander. Bu ei *Hymns for Little Children* (1848) yn drobwynt pwysig yn hanes ysgrifennu emynau ar gyfer plant. Un o emynau'r gyfrol honno oedd 'Once in royal David's city'. Cyhoeddir tri o'i chwe phennill yma, mewn cyfieithiad a ymddangosodd yn *Emynau'r Eglwys* (1941). Crynhoir thema'r penillion yn 2 Corinthiaid 8:9, a chawn ynddynt ddarlun o Nadolig pur wahanol i Nadolig masnachol ein dydd.

> Gynt ym Methlem, dinas Dafydd,
>   Yr oedd beudy'r ychen mud,
> Yno yr oedd mam a'i maban
>   Heb ond preseb iddo'n grud:
> Mair oedd enw'r forwyn fam,
> Iesu Grist ei mab di-nam.
>
> Daeth Efe o'r nef i'r ddaear,
>   Yntau'n Dduw a Brenin mawr,
> Heb un lloches ond y beudy,
>   Heb ond gwely gwellt y llawr;
> Gyda'r gwan a'r gwael o hyd
> Trigai Ceidwad mawr y byd.
>
> Trwy ei gariad yn ein prynu
>   Cawn ryw ddydd ei weled Ef,
> Cans y baban annwyl, addfwyn,
>   Yw ein Harglwydd yn y nef;
> Ac fe ddwg ei blant bob un
> Adref ato Ef ei hun.

CECIL FRANCES ALEXANDER (1818-95)
cyf. DAVID LEWIS ('Ap Ceredigion'; 1870-1948)

AR DYMOR GAEAF

Dydd Nadolig yw'r ŵyl sy'n annwyl gan Ddafydd Ddu yn y garol isod, wrth gwrs, a hynny 'waith [= oherwydd] geni'r Iesu gwyn'. Ond nid dydd gŵyl ynysig oedd y Nadolig i bobl cyfnod Dafydd, ond diwrnod cyntaf cyfnod pwysig yn grefyddol ac yn gymdeithasol, sef cyfnod 'y Gwyliau'. Dyma yn draddodiadol gyfnod o seibiant a dathlu cyffredinol a ymestynnai hyd yr Ystwyll (6 Ionawr).

Ond er bod yr Ystwyll yn nodi diwedd deuddeng niwrnod y Gwyliau, yn yr hen amser âi'r dathlu ymlaen hyd 'Ŵyl Fair Ddechre Gwanwyn' ar 2 Chwefror, y deugeinfed diwrnod wedi'r Nadolig. Enw arall ar yr ŵyl hon oedd 'Gŵyl Fair y Canhwyllau'. Mae'n enghraifft arall o'r eglwys yn Cristioneiddio hen arfer, gan ei bod yn cyd-daro ag adeg hen ŵyl baganaidd y Goleuni, a nodai hanner ffordd rhwng Calan Gaeaf a Chalan Mai ac a roddai le amlwg i ganhwyllau yn ei defodaeth.

Yn unol â chyfarwyddiadau Lefiticus 12, wedi iddi gyflawni deugain niwrnod ei phuredigaeth ar ôl geni'r Iesu, aeth Mair i'w gyflwyno yn y Deml. Dyna'r adeg y cymerodd Simeon Ef yn ei freichiau a'i gyhoeddi'n 'oleuni i oleuo y Cenhedloedd' (Luc 2:32). Rhwng y cwbl, felly, nid rhyfedd i'r eglwys fabwysiadu 2 Chwefror fel Gŵyl Puredigaeth Mair, a rhoi lle amlwg i ganhwyllau ynddi.

> Ar dymor gaeaf dyma'r ŵyl
>   Sydd annwyl, annwyl in;
> Boed sain llawenydd ym mhob llu,
>   Waith geni'r Iesu gwyn;
> Datseiniwn glod â llafar dôn,
>   Rhoed rhai tylodion lef,
> Gan gofio'r pryd y gwelwyd gwawr
>   Eneiniog mawr y nef!
>
> Ar gyfer heddiw Maban mwyn
>   A gaed o'r Forwyn Fair;
> Ac yno gweled dynol-ryw
>   Ogoniant Duw y Gair:
> Mab Duw gorucha'n isa'n awr,
>   Mewn preseb lle pawr ych;
> O! gwelwch, luoedd daear lawr,
>   Diriondeb mawr y drych.

Wel dyma gysur mawr i'r gwan
  Sydd beunydd dan ei boen,
Fod gwên maddeuant, meddiant mwyn,
  Yn wyneb addfwyn Oen;
Mae'n galw drwy'r efengyl bêr
  Ar bawb yn dyner, dewch:
Neséwch at aur gynteddau'r Tad,
  Trugaredd rad a gewch.

Fe bery cariad Iesu cu
  Fyth i'w ryfeddu'n faith;
Datganu ei fawl, ryglyddawl glod,
  Sydd ormod, gormod gwaith:
Hyn oll yn awr a allwn ni,
  Sef llawen godi llef;
Pa fodd yn well i seinio clod
  Cawn wybod yn y nef!

DAVID THOMAS ('Dafydd Ddu Eryri'; 1759-1822)

DAETH LLYWYDD NEF A LLAWR

Un o gylchgronau cynharaf y Gymraeg yw *Trysorfa Ysprydol*. Cylchgrawn Cristnogol ydoedd a ymddangosodd yn ysbeidiol o 1799 ymlaen dan olygyddiaeth dau o arweinwyr amlycaf y Methodistiaid Calfinaidd, Thomas Charles o'r Bala a Thomas Jones o Ddinbych.

Yng ngholofn farddol rhifyn Hydref 1800 ceir pum pennill ag 'Emyn Nadolig' uwch eu pen. Cyhoeddir y tri phennill cyntaf yma. Dienw oedd yr emyn yn y cylchgrawn. Cafodd ei briodoli yn eithaf cynnar i Thomas Jones, Dinbych, ond nid yw yn y casgliad o'i emynau a gyhoeddwyd yn 1814. Fe'i priodolir yn bur gynnar hefyd i emynydd enwog y Bedyddwyr, Benjamin Francis, a fu farw yn 1799, ond nis ceir yn ei lyfrau ef ychwaith.

Pwy bynnag oedd yr awdur, ymddangosodd yr emyn yn aml iawn yng nghasgliadau emynau'r gwahanol enwadau yn ystod y ganrif ddiwethaf. Ac mae hynny'n gryn glod iddo, oherwydd (fel yr awgrymodd Syr Ifor Williams un tro) mae pob emyn anhysbys yn ein casgliadau yn siŵr o fod yn un da, am na fyddai unrhyw reswm arall gan neb o'r golygyddion dros ei gynnwys!

Daeth Llywydd nef a llawr
    I wisgo dynol gnawd;
Wel, henffych, Arglwydd mawr!
    A henffych, dirion Frawd!
Henffych i'n Duw a'n Ceidwad hael
A welwyd yn y preseb gwael!

Mewn cnawd, i'n tynnu'n rhydd,
    Daeth y Tragwyddol Air;
Wel, henffych fyth i'r dydd
    Y ganwyd Ef o Fair!
O'i ras fe ddaeth o uchder ne'
I brofi'r lladdfa yn ein lle.

I groth y wyryf wan,
    I garchar, ac i'r bedd,
Y daeth Ef ar ein rhan,
    I haeddu gras a hedd:
Mewn ing a loes ar Galfari
Agoryd wnaeth y nef i ni.

O *Trysorfa Ysprydol*, Hydref 1800

Y DIRION WAWR A DORRODD

Pwy bynnag oedd awdur yr hen garol blygain hon, yr oedd wedi'i drwytho yn y Beibl. Mae'r llinellau agoriadol, er enghraifft, yn blethiad tyn o Malachi 4:2, Mathew 4:16 a Luc 1:78-79, a phrofiad gwefreiddiol mae'n siŵr oedd eu canu tua thoriad gwawr yn yr hen blygeiniau. Darlun sydd yma o fuddugoliaeth Crist ar bwerau'r tywyllwch. Ei arf yn y gwaith yw ei Air. Hwnnw yw 'gordd ei ras' (Jeremeia 23:29); llais y 'Gwyn a Gwridog' sy'n peri i'r gaeaf gilio ac i'r durtur ganu (Caniad Solomon 2:8-13; 5:10); a llwyddiant y Gair sy'n gwneud i'r coed guro dwylo (Eseia 55:11-13). Ac mae'r darlun hyfryd yn yr ail bennill o'r holl gread yn cydorfoleddu yn y fuddugoliaeth yn ein hatgoffa fod i bob rhan o'r byd creedig gyfran yn y waredigaeth sydd yng ngwreiddyn Jesse (Rhufeiniaid 8:19-22; Eseia 11).

Y dirion wawr a dorrodd,
    Ar ddynion y cyfododd Haul cyfiawnder;
Ym mro a chysgod angau
    Disgleiriodd ei belydrau mewn eglurder.
Yr awr daeth ei oleuni i lawr
    Tywyllwch gorddu a orfu chwalu
O flaen fy Iesu; holl lu y fagddu fawr
A ffoisant yn ddiaros fel nos o flaen y wawr.
Mewn llwydd dring i'w orseddol swydd;
    Mae'n dwyn plant dynion, oedd garcharorion,
O law y Creulon, a'u gwneud yn rhyddion rwydd,
Gan ddryllio, darnio ei deyrnas a gordd ei ras o'n gŵydd.

Mae'r durtur bêr yn canu,
    A'r byd yn gorfoleddu mewn gwir fyw lwyddiant;
A choed y maes sydd eto
    Oll fel yn curo dwylo mewn clod a moliant.
Ca'r Gwyn a Gwridog fawl am hyn;
    Llu'r nef a'i molant, a'r llawr cydganant,
Hwy'n un enynnant, pob un â'i dant yn dynn
A'u tanllyd anthem iddo, nes deffro bro a bryn.
Mewn pryd Iachawdwr mawr y byd
    Ddaeth ar ei orsedd i roi trugaredd
I blant y llygredd, fu 'mhwll eu camwedd cyd.
'Teyrnasa dirion Iesu' yw gwaedd ei deulu i gyd.

H. HUGHES

SUAI'R GWYNT

Un o emynwyr gorau ein canrif, ac un a ymegnïodd yn fawr i ddarparu llenyddiaeth Gristnogol i blant, oedd Nantlais. Creu darlun tlws o'r baban Iesu a'i fam a wneir yn y garol hyfryd isod, fel sy'n gweddu i garol hwiangerddol. Ond nid aros gyda darlun swynol o faban yn y gwair a wna Nantlais. Ni all beidio ag edrych i gyfeiriad y groes.

Dyna fu'n wir amdano byth er Diwygiad 1904. Ac yntau'n weinidog ifanc uchelgeisiol yn Rhydaman, daeth wyneb yn wyneb â'r Crist croeshoeliedig am y tro cyntaf, a derbyn ei faddeuant. Ar ôl chwilio'n ddyfal, daeth i heddwch â Duw yn dilyn cyfarfod yn y capel un nos Sadwrn yn Nhachwedd 1904. Dyma'i ddisgrifiad o'r hyn a ddigwyddodd: 'Wedi mynd adref, ac eistedd, yn dawel hollol a digynnwrf, gwelais mai drwy *gredu* y daw inni iachawdwriaeth, nid trwy ymdrech ac ing mewn gweddi drwy'r nos ar fy rhan i, ond trwy ymdrech rhywun arall drosof yn yr Ardd, ac ar y Groes; ie, trwy bwyso arno Ef a'i chwys gwaedlyd a'i farwol loes. O! dyna ryddhad. Dyna dangnefedd!'

Dyna drobwynt mawr bywyd Nantlais. A dyna ffynhonnell ei emynau, gan gynnwys y garol hon, oherwydd dywed amdanynt, 'na fuasent wedi ffrydio o'm calon oni bai am 1904'.

Suai'r gwynt; suai'r gwynt,
  Wrth fyned heibio'r drws;
A Mair ar ei gwely gwair
  Wyliai ei baban tlws.
Syllai yn ddwys ar ei ŵyneb llon,
Gwasgai Greawdwr y byd at ei bron,
  Canai ddiddanol gân:
    'Cwsg, cwsg f'anwylyd bach,
    Cwsg nes daw'r bore iach.
      Cwsg, cwsg, cwsg.

'Cwsg am dro; cwsg am dro,
  Cyn daw'r bugeiliaid hyn;
A dod, dod, i seinio clod,
  Wele mae'r doethion syn;
Cwsg cyn daw Herod â'i gledd ar ei glun,
Cwsg, fe gei ddigon o fod ar ddi-hun,
  Cwsg cyn daw'r groes i'th ran;
    Cwsg, cwsg, f'anwylyd bach,
    Cwsg, nes daw'r bore iach.
      Cwsg, cwsg, cwsg.'

W. NANTLAIS WILLIAMS (1874-1959)

AM FETHLEHEM BYDD COFIO

Cigydd oedd William Evans. Fe'i ganed ym mhlwyf Trefgarn Fawr yn sir Benfro, a daeth yn amlwg fel blaenor gyda'r Methodistiaid Calfinaidd yn y sir. Yn fardd ac yn gerddor, ymdrechodd yn galed i godi safon canu cynulleidfaol trwy fynd o gylch yn cynnal ysgol gân.

Fe gofir am byth am Fethlehem, meddai yn yr emyn hwn, am mai yno y ganed y Ceidwad. Roedd ei eni yno, wrth gwrs, yn unol â phroffwydoliaeth Micha (5:2). Dyna dref Dafydd Frenin, a dyna oedd y man geni priodol ar gyfer y Tywysog o linach Dafydd a fyddai'n llywodraethu ar bobl Dduw am byth (Eseia 9:7; Luc 1:32-33). Ond y mae pethau eraill sy'n ychwanegu at addaster man ei eni.

Dyna ei safle daearyddol, er enghraifft. Pentref bychan ar gefnen o dir oedd Bethlehem Effrata. Gorweddai yng nghanol caeau ffrwythlon, tir tra gwahanol i anialdir Jwdea gerllaw. Ystyr 'Effrata' yw 'ffrwythlonder', ac adlewyrchir y ffrwythlondeb hwnnw hefyd yn yr enw 'Bethlehem' — 'tŷ bara'. Ar ben hynny, roedd dŵr ffynnon Bethlehem yn

nodedig iawn, yn ddigon arbennig i'r Brenin Dafydd flysio am ei ddrachtio (2 Samuel 23:15). Dyma le hynod addas felly i fod yn fan geni 'Bara'r Bywyd' (Ioan 6), y Brenin Hollgyfoethog sy'n cynnig inni werddon o lawnder a digonedd yng nghanol anialwch y byd hwn ac sy'n rhoi i'r sychedig 'o ffynnon dwfr y bywyd yn rhad' (Datguddiad 21:6). Rhown foliant yn wir fod y fath Geidwad wedi dod!

> Am Fethlehem bydd cofio
>   Dros oesoedd rif y gwlith,
> Cans yno ganwyd T'wysog
>   A lywodraetha byth;
> Daeth Arglwydd y gogoniant
>   Ym Methlem i ni'n Frawd,
> A'r hwn a wnaeth y bydoedd
>   A aned yno'n dlawd.
>
> Fe unwyd tragwyddoldeb
>   Ac amser brau yn un,
> Ym Methlehem Effrata
>   Ym mherson Mab y Dyn!
> Y gwrthrych annherfynol
>   A lanwai'r ddae'r a'r nef
> A ddaeth mewn agwedd ddynol —
>   Mewn preseb gwelwyd Ef.
>
> Ym Methlehem fe'i ganwyd,
>   Pan ddaeth mewn agwedd gwas;
> Ar Galfari fe'i hoeliwyd,
>   Dan felltith pechod cas;
> Esgynnodd o Fethania
>   Ymhlith angylaidd lu;
> Mae'n awr mewn urddas breiniol
>   Yn eiriol drosom ni.
>
> Fy enaid, cana iddo,
>   Wrth gofio am y dydd
> Caed Meichiau, 'nôl yr arfaeth,
>   I fynnu'r caeth yn rhydd;
> Gogoniant am y cariad
>   A'n cofiodd cyn ein bod;
> Ond heddiw canwn foliant,
>   Mae'r Ceidwad wedi dod!

WILLIAM EVANS, TREAMLOD (1800-80)